KB082199

음주운전 공략집

" 음주운전, 교통사고 전문
변호사가 누설하는 영업비밀 "

★★★
대한변호사협회
형사소송
전문변호사

★★★
대한변호사협회
교통사고
전문변호사

변호사 신정우
변호사 문 을
변호사 문희웅

BOOKK

"음주운전 전문변호사가 누설하는 영업비밀"

음주운전 공략집

발 행 | 2024년 2월 14일

저 자 | 신정우·문 을·문희웅

펴낸이 | 한건희

펴낸곳 | 주식회사 부크크

출판사등록 | 2014.07.15(제2014-16호)

주 소 | 서울특별시 금천구 가산디지털1로 119 SK트윈타워 A동 305호

전 화 | 1670-8316

이메일 | info@bookk.co.kr

ISBN | 979-11-410-7161-5

www.bookk.co.kr

"음주운전 전문변호사가 누설하는 영업비밀"

음주운전 공략집

법무법인 프런티어

변호사 신정우

변호사 문 을

변호사 문희웅

감수위원: 법무법인 프런티어 이상현 변호사

목차

■ 글을 시작하며

■ 글을 시작하며

음주운전은 사회적으로 큰 해악을 끼치는 중대한 범죄행위라는 점에는 의심의 여지가 없습니다. 매년 음주운전으로 죽거나 다친 우리나라 국민이 2만 명을 넘는 현실에서 과연 음주운전을 한 운전자를 변호하는 것이 온당한 것인지 많은 고민이 있었습니다.

하지만, 막상 음주운전을 하여 재판을 받게 된 의뢰인들을 만나보니, 그들 역시 공무원 시험 준비생, 취업 준비생, 한 가족의 생계를 책임지는 가장으로 도움이 절실히 필요한 사람들이었습니다. 살인자라 할지라도 수술이 필요하면 의사 선생님이 수술을 해주시는 것처럼 음주운전을 한 사람이라도 헌법상 보장된 변호인의 조력을 받을 권리는 보장되어야 한다는 생각에 이르렀습니다. 그리하여 음주운전을 한 사람을 변호하고 이 책도 쓰게 되었습니다.

이 책은 본래 법무법인 프런티어에서 내부적으로 음주운전 고객들에 대한 정보제공 목적으로 제작된 것입니다. 하지만 시간적·공간적 제약으로 저희와 만나지 못한 분들도 법무법인 프런티어의 노하우를 얻어가시면 좋겠다는 생각에 정식 도서로 출판하게 되었습니다. 다만, 이 책은 오로지 이번 사건을 마지막으로 다시는 음주운전을 하지 않겠다고 다짐하시는 분들께만 읽혔으면 하는 바람입니다. 상습적으로 음주운전을 하다가 적발되어 임시로 상황을 모면하겠다는 잘못된 생각을 가지신 분들은 이 책을 읽지 않기를 바랍니다.

이 책을 쓸 수 있도록 법률적 자문을 아끼지 않으신 법무법인 프런티어 이상현 대표변호사님과 프런티어의 다른 변호사님들, 모든 프런티어 식구들과 특히 부산 사무실에서 고생하는 윤현준 대리, 구민지 주임에게 감사한 마음을 전합니다. 그리고 언제나 든든한 버팀목이 되어주신 어머니와 이준이네 가족, 장모님과 봄이네 가족에게도 감사함을 전합니다. 끝으로 인생의 행복이 무엇인지 알게 해준 나의 마음 충전기 김보라 씨에게 사랑한다는 말을 전합니다.

2024년 초봄

부산 대연동 사무실에서

신정우 변호사 씀

Ⅰ. 관련 규정

1. 도로교통법

술을 마시고 운전을 해서는 안 됩니다. 대한민국 사람이라면 누구나 알고 있는 사실이지요. '음주운전'에서 '운전'이란 단순히 자동차를 운전하는 것 외에도 오토바이나 건설중장비, 자전거 등을 운전하는 것도 포함됩니다. 다만, 예를 들어 단순히 날씨가 추워서 술을 마신 상태에서 히터를 틀기 위해서 자동차 시동을 켜는 행위와 같이 자동차를 이동시키지 않는 행위는 음주운전의 운전에 해당하지 않습니다. 우리의 상식과 같이 자동차의 시동을 켜고 액셀을 밟아 자동차를 움직이는 행위가 있어야 음주운전에 해당하는 것입니다.

'음주운전'의 '음주'에 대해서는 당연히 술을 마신 행위를 말합니다. 사람에 따라 술에 취하는 정도는 모두 다르므로 우리 법에서는 혈중알코올농도에 따라서 술에 취한 정도를 판단하고 있습니다. 당연하게도 혈중알코올농도가 높을수록 더 큰 처벌을 받게 됩니다. 도로교통법 제148조의2에서는 혈중알코올농도에 따른 처벌 기준을 제시하고 있습니다. 구체적으로 살펴보면 도로교통법 제148조의2 제1항에서는 10년 이내에 음주운전을 2번 이상 한 사람에 대한 처벌, 제2항에서는 음주 측정 불응자에 대한 처벌, 제3항에서는 10년 이내에 음주운전을 1회 한 사람에 대한 처벌, 제4항에서는 마약 등 약물에 취한 상태에서 운전한 사람에 대한 처벌을 각각 규정하고 있습니다. 도로교통법 제148조의2를 표로 정리하면 아래와 같으니 참고하시어 본인의 혈중알코올농도와 전과에 따라 본인이 어떤 형을 받게 될지 판단해 보시기 바랍니다.

※ 혈중알코올농도에 따른 처벌 기준표(도로교통법 제148조의2)

구분	혈중 알코올 농도(%)	벌칙
10년 이내에 2회 이상	0.03 이상 ~ 0.2 미만	1년 이상 5년 이하의 징역이나 500만원 이상 2천만원 이하의 벌금
	0.2 이상	2년 이상 6년 이하의 징역이나 1천만원 이상 3천만원 이하의 벌금
	음주 측정 거부	1년 이상 6년 이하의 징역이나 500만원 이상 3천만원 이하의 벌금
10년 이내에 1회	0.03 이상 ~ 0.08 미만	1년 이하의 징역이나 500만원 이하의 벌금
	0.08 이상 ~ 0.2 미만	1년 이상 2년 이하의 징역이나 500만원 이상 1천만원 이하의 벌금
	0.2 이상	2년 이상 5년 이하의 징역이나 1천만원 이상 2천만원 이하의 벌금

	음주 측정 거부	1년 이상 5년 이하의 징역이나 500만원 이상 2천만원 이하의 벌금
마약 등 약물	3년 이하의 징역이나 1천만원 이하의 벌금	

2. 교통사고처리특례법

■ 형법

제268조(업무상과실 · 중과실 치사상) 업무상과실 또는 중대한 과실로 사람을 사망이나 상해에 이르게 한 자는 5년 이하의 금고 또는 2천만원 이하의 벌금에 처한다.

■ 교통사고처리특례법

제3조(처벌의 특례) ① 차의 운전자가 교통사고로 인하여 「형법」 제268조의 죄를 범한 경우에는 5년 이하의 금고 또는 2천만원 이하의 벌금에 처한다.

② 차의 교통으로 제1항의 죄 중 업무상과실치상죄 또는 중과실치상죄와 「도로교통법」 제151조의 죄를 범한 운전자에 대하여는 피해자의 명시적인 의사에 반하여 공소(公訴)를 제기할 수 없다. 다만, 차의 운전자가 제1항의 죄 중 업무상과실치상죄 또는 중과실치상죄를 범하고도 피해자를 구호하는 등 「도로교통법」 제54조제1항에 따른 조치를 하지 아니하고 도주하거나 피해자를 사고 장소로부터 옮겨 유기하고 도주한 경우, 같은 죄를 범하고 「도로교통법」 제44조제2항을 위반하여 음주 측정 요구에 따르지 아니한 경우(운전자가 채혈 측정을 요청하거나 동의한 경우는 제외한다)와 다음 각 호의 어느 하나에 해당하는 행위로 인하여 같은 죄를 범한 경우에는 그러하지 아니하다.

8. 「도로교통법」 제44조제1항을 위반하여 술에 취한 상태에서 운전을 하거나 같은 법 제45조를 위반하여 약물의 영향으로 정상적으로 운전하지 못할 우려가 있는 상태에서 운전한 경우

음주운전이 단순 음주운전으로 끝나지 않고 교통사고로 이어져 사람이 다치게 된다면, 교통사고처리특례법이 적용되어 5년 이하의 금고 또는 2천만 원 이하의 벌금형에 처해지게 됩니다. 물론, 음주운전 자체로 교통사고처리특례법보다 도로교통법상 처벌 규정이 더 무거운 경우에는 무거운 법이 적용됩니다.

원래 자동차 사고의 경우 12대 중과실에 해당하지 않는 이상, 피해자와 합의하면 처벌을 받지 않는 것이 원칙입니다. 하지만, 교통사고로 사람을 다치게 하고 음주 측정에 불응한 경우에는 예외적으로 처벌되고, 음주운전으로 사람을 다치게 한 경우에는 12대 중과실에 해당하므로, 피해자와 합의하더라도 처벌을 면할 수는 없습니다. 다만, 처벌을 면할 수 없는 것과는 별개로, 피해자와 합의는 양형에서 매우 중요한 요소입니다. 따라서 음주 교통사고로 사람을 다치게 하였다면, 반드시 피해자와 합의를 시도하여 합의하여야 하고, 합의에 이르지 못하였다면 최소한 형사공탁 절차라도 진행하여야 실형을 면할 수 있을 것입니다. 형사공탁 방법은 이 책 후반부에서 자세히 설명해 드리도록 하겠습니다.

3. 특정범죄가중처벌등에관한특례법

■ 특정범죄가중처벌등에관한법률(약칭: 특정범죄가중법)

제5조의11(위험운전 등 치사상) ① 음주 또는 약물의 영향으로 정상적인 운전이 곤란한 상태에서 자동차등을 운전하여 사람을 상해에 이르게 한 사람은 1년 이상 15년 이하의 징역 또는 1천만원 이상 3천만원 이하의 벌금에 처하고, 사망에 이르게 한 사람은 무기 또는 3년 이상의 징역에 처한다.

② 음주 또는 약물의 영향으로 정상적인 운항이 곤란한 상태에서 운항의 목적으로 「해사안전법」 제41조제1항에 따른 선박의 조타기를 조작, 조작 지시 또는 도선하여 사람을 상해에 이르게 한 사람은 1년 이상 15년 이하의 징역 또는 1천만원 이상 3천만원 이하의 벌금에 처하고, 사망에 이르게 한 사람은 무기 또는 3년 이상의 징역에 처한다.

특정범죄가중처벌법 위반 위험운전치사상죄는 음주운전 관련 범죄에서 가장 무거운 범죄 중 하나입니다. 위 법률을 위반하여 사람을 다치게 한 경우는 최대 15년, 사람을 죽게 한 경우에는 무기징역까지 선고될 수 있는 중대 범죄행위입니다. 다만, 특가법 위반 위험운전치사상죄는 음주운전을 한 상태에서 사람을 다치게 한 모든 경우에 적용되는 것은 아닙니다. 술을 마시고 운전하여 사람을 다치게 하거나 사망하게 한 경우라 하더라도 특가법 위반 위험운전치사상죄가 바로 적용되지 않고 도로교통법 위반 음주운전죄와 교통사고처리특례법 위반죄만 적용될 수도 있는 것입니다.

■ 대법원 2008. 11. 13. 선고 2008도7143 판결

음주로 인한 특정범죄가중처벌 등에 관한 법률 위반 (위험운전치사상)죄는 도로교통법 위반(음주운전)죄의 경우와는 달리 형식적으로 혈중 알코올농도의 법정 최저기준치를 초과하였는지 여부와는 상관없이 운전자가 음주의 영향으로 실제 정상적인 운전이 곤란한 상태에 있어야만 하고, 그러한 상태에서 자동차를 운전하다가 사람을 상해 또는 사망에 이르게 한 행위를 처벌대상으로 하고 있는 바, 이는 음주로 인한 특정범죄가중처벌 등에 관한 법률 위반(위험운전치사상)죄는 업무상과실치사상죄의 일종으로 구성요건적 행위와 그 결과 발생 사이에 인과관계가 요구되기 때문이다.

위 대법원 판례에서 보는 바와 같이 음주운전을 한 사람이 형식적으로 혈중알코올농도의 법정 최저기준치를 초과하였는지 여부와는 상관없이 운전자가 음주의 영향으로 실제 정상적인 운전이 곤란한 상태에 있었는지 아닌지에 따라 특정범죄가중처벌등에관한 법률이 적용될 것인지 아닌지 아닌지가 결정됩니다. 음주운전 사고로 사람을 다치게 하였다 하더라도 적절한 법적 조력을 받는다면 특가법 위반으로 인한 무거운 처벌을 피할 수도 있다는 사실을 기억하시기 바랍니다. 구체적 사항은 뒷부분에서 설명해 드리도록 하겠습니다.

4. 음주운전 운전면허 정지·취소

음주운전에 다른 운전면허의 정지·취소에 관해서는 도로교통법 제93조 및 도로교통법 시행규칙 [별표 28] '운전면허 취소·정지 처분 기준'에 상세히 규정되어 있습니다. 이를 정리하면 아래와 같습니다.

가. 운전면허 정지 기준

운전면허 정지 처분은 1회의 위반, 사고로 인한 벌점 또는 처분 벌점이 40점 이상이 된 때부터 내려지며, 1점을 1일로 계산하여 집행됩니다. 그런데 혈중알코올농도가 0.03 퍼센트 이상 0.08 퍼센트 미만(0.08 퍼센트는 제외)인 상태에서 음주운전을 하면 벌점은 100점이 부과됩니다. 따라서 다른 벌점이 없다면, 혈중알코올농도가 0.03 퍼센트 이상 0.08 퍼센트 미만인 상태에서 음주운전을 한 경우 면허가 정지되고, 1점을 1일로 계산하여 집행되므로, 정지 기간은 100일이 될 것입니다.

나. 운전면허 취소 기준

① 혈중알코올농도가 0.08 퍼센트 이상(0.08 퍼센트 포함)인 상태에서 음주운전을 한 경우 면허는 취소됩니다. ② 또한, 혈중알코올농도가 0.08 퍼센트 미만이라 하더라도 혈중알코올농도 0.03 퍼센트 이상인 상태의 음주운전을 하여 교통사고로 사람을 죽거나 다치게 한 경우, ③ 2회 이상 음주운전을 한 경우, ④ 경찰공무원의 음주 측정 요구에 불응한 경우에는 면허는 취소됩니다.

구분	음주운전 내용
면허 정지	혈중알코올농도가 0.03 퍼센트 이상 0.08 퍼센트 미만
면허 취소	혈중알코올농도가 0.08 퍼센트 이상
	혈중알코올농도 0.03 퍼센트 이상인 상태의 음주운전을 하여 교통사고로 사람을 죽거나 다치게 한 경우
	2회 이상 음주운전을 한 경우
	경찰공무원의 음주 측정 요구에 불응한 경우

5. 운전면허 취소 후 재취득 기간

음주운전에 다른 운전면허의 재취득 기간에 관해서는 도로교통법 제93조에 상세히 규정되어 있습니다. 단순 음주운전으로서 혈중알코올농도가 0.03 퍼센트 이상, 0.08 퍼센트 미만이면 면허가 취소되지 않고 정지됩니다. 혈중알코올농도가 0.08 퍼센트 이상(0.08 퍼센트 포함)이면 1년간 운전면허를 취득할 수 없습니다. 1회 음주운전이라 하더라도 교통사고를 발생시킨 경우에는 2년간 운전면허를 취득할 수 없고, 음주운전으로 2회 이상 적발된 경우에도 2년간 운전면허를 취득할 수 없습니다. 음주운전으로 교통사고를 2회 이상 일으키면 3년간 운전면허를 취득할 수 없습니다. 음주운전으로 사람을 다치게 한 후 도주한, 이른바 뺑소니의 경우 5년간 운전면허를 취득할 수 없으며, 음주운전으로 사람을 사망하게 한 경우에도 5년간 운전면허를 취득할 수 없습니다. 이상의 내용을 표로 정리하면 아래와 같습니다.

행위	재취득 기간
1회 단순 음주, 혈중알코올농도 0.03 퍼센트 이상, 0.08 퍼센트 미만	면허 정지
1회 단순 음주, 혈중알코올농도 0.03 퍼센트 이상, 0.08 퍼센트 미만, 대물사고	면허 정지
단순 음주, 혈중알코올농도 0.08 퍼센트 이상(0.08 퍼센트 포함)	1년
1회 음주, 교통사고 발생	2년
2회 이상 음주	2년
2회 이상 음주, 2회 이상 교통사고	3년
음주, 뺑소니	5년
음주, 사망사고	5년

6. 면허 정지·취소에 대한 구제

■ 도로교통법

제94조(운전면허 처분에 대한 이의신청)

① 제93조제1항 또는 제2항에 따른 운전면허의 취소처분 또는 정지처분이나 같은 조 제3항에 따른 연습운전면허 취소처분에 대하여 이의(異議)가 있는 사람은 그 처분을 받은 날부터 60일 이내에 행정안전부령으로 정하는 바에 따라 시 · 도경찰청장에게 이의를 신청할 수 있다.

② 시 · 도경찰청장은 제1항에 따른 이의를 심의하기 위하여 행정안전부령으로 정하는 바에 따라 운전면허행정처분 이의심의위원회(이하 "이의심의위원회"라 한다)를 두어야 한다.

③ 제1항에 따라 이의를 신청한 사람은 그 이의신청과 관계없이 「행정심판법」에 따른 행정심판을 청구할 수 있다. 이 경우 이의를 신청하여 그 결과를 통보받은 사람(결과를 통보받기 전에 「행정심판법」에 따른 행정심판을 청구한 사람은 제외한다)은 통보받은 날부터 90일 이내에 「행정심판법」에 따른 행정심판을 청구할 수 있다.

제142조(행정소송과의 관계) 이 법에 따른 처분으로서 해당 처분에 대한 행정소송은 행정심판의 재결(裁決)을 거치지 아니하면 제기할 수 없다.

음주운전으로 운전면허의 정지 또는 취소 처분을 받은 사람은 위 도로교통법 제94조 및 제142조에 따라서 이의신청, 행정심판, 행정소송을 제기할 수 있습니다. 행정심판은 이의신청 여부와 무관하게 제기할 수 있으나, 행정소송은 반드시 행정심판을 거치고 난 이후에 제기할 수 있습니다.

도로교통법 시행규칙 [별표 28] 운전면허 취소·정지 처분 기준 1. 바. (가)항에서는 음주운전으로 운전면허 취소 처분 또는 정지 처분을 받은 경우 감경 사유를 규정하고 있습니다. 운전이 가족의 생계를 유지할 중요한 수단이 되거나, 모범운전자로서 처분 당시 3년 이상 교통봉사활동에 종사하고 있거나, 교통사고를 일으키고 도주한 운전자를 검거하여 경찰서장 이상의 표창을 받은 사람은 감경 대상이 됩니다. 다만 감경 대상에 해당한다고 하더라도 1) 혈중알코올 농도가 0.1 퍼센트를 초과하여 운전한 경우, 2) 음주운전 중 인적 피해 교통사고를 일으킨 경우, 3) 경찰관의 음주 측정 요구에 불응하거나 도주한 때 또는 단속 경찰관을 폭행한 경우, 4) 과거 5년 이내에 3회 이상의 인적 피해 교통사고의 전력이 있는 경우, 5) 과거 5년 이내에 음주운전의 전력이 있는 경우에는 감경받을 수 없습니다. 표로 정리하면 아래와 같습니다.

감경 사유 (하나라도 해당하면 감경 대상이 됨)	감경 제외 사유 (하나라도 해당하면 감경 대상에서 제외)
운전이 가족의 생계를 유지할 중요한 수단	혈중알코올농도가 0.1 퍼센트를 초과하여 운전
모범운전자로서 처분 당시 3년 이상 교통봉사활동에 종사	음주운전 중 인적 피해 교통사고 발생
교통사고를 일으키고 도주한 운전자를 검거하여 경찰서장 이상의 표창을 받은 사람	경찰관의 음주 측정요구에 불응하거나 도주
	단속 경찰관을 폭행
	과거 5년 이내에 3회 이상의 인적 피해 교통사고의 전력이 있는 경우
	과거 5년 이내에 음주운전의 전력이 있는 경우

음주운전으로 면허 정지나 취소 처분을 받은 경우, 위 표에 기재된 감경 사유가 있는 경우 이의신청이나 행정심판, 행정소송 등 구제신청을 해볼 수 있습니다. 하지만 위 표에 기재된 감경 제외 사유에 해당 사항이 있는 분이라면 사실상 구제받기는 어렵습니다. 예를 들어, 갑자기 부인이 아기를 출산하려고 하여 긴급히 병원에 가야 하는데 도저히 대중교통을 이용할 상황이 되지 않아서, 산모와 아기의 생명을 구하기 위하여, 어쩔 수 없이 운전한 경우와 같은 매우 특수한 상황이 아니라면, 실무상 이의신청이나 행정심판 등으로 처분이 감경된 사례는 많지 않으며, 특히 음주운전 전과가 있으신 분은 위 표의 감경 제외 사유에 해당하여 사실상 감경을 받는 경우는 매우 적습니다. 최근 음주운전이 사회적으로 큰 해악을 끼치는 중범죄라는 인식이 널리 퍼지고 있고, 이에 발맞추어 음주운전에 대한 처벌 수위도 날로 높아가고 있으므로, 음주운전으로 인한 면허 정지·취소 처분에 대한 구제신청은 점점 어려워지고 있습니다.

7. 면허 정지·취소에 대한 구제 판결

가. 인천지방법원 2023. 7. 18. 선고 2022구단52567 판결 [자동차운전면허취소처분취소]

[판결 주문]

1. 피고가 2022. 6. 20. 원고에 대하여 한 자동차운전면허취소처분을 취소한다.

2. 소송비용은 피고가 부담한다.

3. 제1항 기재 처분은 이 사건 항소심 판결선고시(소취하나 항소포기 등 기타 사유로 종료되면 그 종료시)까지 그 집행을 정지한다.

1. 처분의 경위

가. 피고는 2022. 6. 20. 원고에 대하여 '원고가 2022. 2. 22. 15.:47경 인천 남동구 B 앞 길에서 혈중알콜농도 0.031%의 술에 취한 상태로 운전을 하다 경상 1명이 있는 교통사고를 발생시켰다'는 이유를 들어 도로교통법 제93조 제1항 제1호에 의해 원고의 제1종 보통운전면허를 취소하였다.

나. 원고는 2022. 8. 12. 중앙행정심판위원회에 이 사건 처분에 대한 행정심판을 청구하였으나 2022. 9. 27. 그 청구가 기각되었다.

2. 처분의 적법 여부

가. 원고의 주장

피고는 원고의 최종음주시간이 2022. 2. 22. 13:30경으로 보고 원고에 대한 음주 측정 시각(16:19경)이 혈중알콜농도 하강 시점에 있었다면서 위드마크공식을 적용해 원고의 혈중알콜농도를 0.031%로 산정하였다. 그러나 원고의 최종음주시각은 2022. 2. 22. 15:00경이고, 위 시간으로부터 음주 측정시간까지 90분이 경과하지 않아 원고의 혈중알콜농도가 하강 시점에 있지 않았다. 따라서 피고가 위드마크공식을 적용해 원고의 혈중알콜농도를 0.031%로 산정한 것은 위법하다.

나. 판단

갑 제3호증, 을 제7, 8호증의 각 기재에 변론 전체의 취지를 종합하면, 다음 각 사실을 인정할 수 있다.

1) 원고는 2022. 2. 22. 15:47경 인천 남동구 C 앞 길에서 차량을 운전하다 우측 도로에 있는 차량을 충격하는 사고를 발생시켰고, 당시 현장에 출동한 인천남동경찰서 소속 경감 D은 같은 날 16:19경 원고에 대해 호흡측정 방식으로 음주 측정을 하였다.

호흡기 측정 결과 원고의 혈중알콜농도는 0.027%였다.

2) 경찰관 D은 2022. 4. 7. '원고가 2022. 2. 22. 13:30경 자신이 운영하는 식당에서 손님이 남긴 맥주를 종이컵에 따라 1컵 마셨다고 진술하였다'며 이에 근거해 위드마크

공식을 적용한 결과 원고의 혈중알콜농도는 0.031%라는 내용의 '입건전조사보고서(위드마크 적용 등)' 및 수사결과보고서 등을 작성하였다.

3) 원고는 특정범죄가중처벌등에관한법률위반(위험운전치상), 도로교통법위반(사고후미조치), 도로교통법위반(음주운전)으로 인천지방법원에 기소되었으나, 2023. 6. 1. 도로교통법위반(사고후미조치)죄에 대해서는 벌금 1,000만 원을 선고받은 반면, 특정범죄가중처벌등에관한법률위반(위험운전치상)죄 및 도로교통법위반(음주운전)죄에 대해서는 경찰관 D가 작성한 증거서류는 그 증거능력이 없고, 원고의 법정 진술(당일 15:00경 종이컵으로 맥주 1잔을 마셨다) 외에는 원고가 같은 날 13:30경 최종적으로 술을 마셨음을 인정할 증거가 없다는 이유로 무죄를 선고받았다.

위 인정사실에 의하면, 원고가 형사재판에서 도로교통법상 음주운전을 처벌하는 혈중알콜농도 수치인 0.03% 이상이었음을 인정할 증거가 없다는 이유로 원고에게 특정범죄가중처벌등에관한법률위반(위험운전치상) 및 도로교통법(음주운전)에 대한 무죄판결이 선고된 이상, 원고가 이 사건 운전 당시 혈중알콜농도가 0.031%이었음을 전제로 한 이 사건 처분 역시 위법함을 면할 수 있다.

따라서 원고의 주장은 이유 있다.

3. 집행정지

한편, 이 사건 기록에 의하면, 이 사건 처분의 집행으로 말미암아 원고에게 생길 회복하기 어려운 손해를 예방하기 위한 긴급한 필요가 인정되고 달리 위 집행정지로 인하여 공공복리에 중대한 영향을 미칠 우려가 있다고 인정하기 어려우므로, 직권으로 이 사건 처분은 이 사건 항소심 판결 선고시(소취하나 항소포기 등 기타 사유로 종료되면 그 종료시)까지 그 집행을 정지한다.

4. 결론

그렇다면 원고의 청구는 이유 있어 이를 인용하기로 하여 주문과 같이 판결한다.

나. 수원지방법원 2023. 7. 14. 선고 2022구단3845 판결 [자동차운전면허취소처분취소]

[판결 주문]

1. 피고가 2022. 9. 26. 원고에 대하여 한 운전면허(제1종 보통, 제2종 소형, 원동기장 치자전거) 취소처분을 취소한다.

2. 소송비용은 피고가 부담한다.

3. 제1항 기재 처분의 효력을 이 판결 확정시까지 정지한다.

1. 처분의 경위

가. 원고는 2022. 9. 19. 22:51경 평택시 B 앞길에서 혈중알코올농도 0.112%의 술에 취한 상태로 개인형 이동장치를 200m 가량 운전하다가 음주단속에 적발되었다.

나. 피고는 2022. 9. 26. 원고에 대하여 위와 같이 음주운전을 하였다는 이유로 도로교통법 제93조 제1항 제1호를 적용하여 운전면허(제1종 보통, 제2종 소형, 원동기장치자전거)를 취소하는 처분(이하 '이 사건 처분'이라 한다)을 하였다.

다. 원고는 2022. 10. 18. 이 사건 처분에 불복하여 행정심판을 청구하였으나, 중앙행정심판위원회는 2022. 11. 22. 원고의 청구를 기각하였다.

[인정근거] 다툼 없는 사실, 갑 제1, 2, 3호증, 을 제1, 4 내지 11호증의 각 기재, 변론 전체의 취지

2. 이 사건 처분의 적법 여부

가. 원고의 주장 요지

원고의 음주운전으로 인한 피해사실이 없는 점, 이동거리가 200m 정도에 불과한 점, 음주운전 조사에 적극 협조한 점, 건설현장 일용직 근로자로 생계유지에 있어 운전면허가 절대적으로 필요한 점, 원고의 가족 관계 및 경제적 어려움 등을 고려할 때, 이 사건 처분은 원고에게 지나치게 가혹하여 위법하다.

나. 관계 법령

별지 기재와 같다.

다. 판단

1) 제재적 행정처분이 재량권의 범위를 일탈하였거나 남용하였는지 여부는 처분사유로 된 위반행위의 내용과 그 위반의 정도, 당해 처분에 의하여 달성하려는 공익상의 필요와 개인이 입게 될 불이익 및 이에 따르는 제반 사정 등을 객관적으로 심리하여 공익침해의 정도와 그 처분으로 인하여 개인이 입게 될 불이익을 비교하여 판단하여야

한다(대법원 2006. 4. 14. 선고 2004두3854 판결 등 참조). 도로교통법 시행규칙이 정한 운전면허행정처분기준은 관할 행정청이 운전면허의 취소 및 운전면허의 효력정지 등의 사무처리를 함에 있어서 처리기준과 방법 등의 세부사항을 규정한 행정기관 내부의 처리지침에 불과한 것으로서 대외적으로 국민이나 법원을 기속하는 효력이 없으므로, 자동차운전면허취소처분의 적법 여부는 위 운전면허행정처분기준으로만 판단할 것이 아니라 도로교통법의 규정 내용과 취지에 따라 판단되어야 한다(대법원 1998. 3. 27. 선고 97누20236 판결 등 참조).

2) 앞서 본 관계법령과 법리, 앞서 든 증거들에 갑 제4호증, 을 제2, 3, 12호증의 각 기재를 더하여 알 수 있는 다음과 같은 사정들에 비추어 보면, 이 사건 처분은 운전면허 취소로 달성하려는 공익에 비해 원고가 입게 되는 불이익이 더 커서 재량권의 범위를 일탈하였거나 남용한 위법한 처분에 해당한다고 판단된다.

① 개인형 이동장치는 원동기장치자전거 중 시속 25㎞ 이상으로 운행할 경우 전동기가 작동하지 아니하고 차체

중량이 30㎏ 미만인 것으로서 행정안전부령으로 정하는 것을 말하므로(도로교통법 제2조 19의2호), 자동차나 다른 원동기장치자전거에 비해 타인의 생명이나 신체, 재물에 피해를 줄 위험성이 현저히 낮을 수밖에 없다. 구 도로교통법(2020. 6. 9. 법률 제17317호로 개정되어 2021. 1. 12. 법률 제17891호로 개정되기 전의 것) 제93조 제1항 제1호에서 개인형 이동장치 음주운전을 운전면허 취소·정지 사유에서 제외하였던 것이나, 현행 도로교통법 제156조 제11호에서 개인형 이동장치를 음주운전한 경우 자동차 등의 음주운전에 비하여 훨씬 가벼운 20만 원 이하의 벌금이나 구류 또는 과료로 처벌하면서 제162조, 제163조, 도로교통법 시행령 제93조에 따라 10만 원의 범칙금 통고처분도 가능하도록 하고 있는 것도 이러한 위험성의 차이를 인정한 것으로 해석된다(원고도 통고처분에 따라 범칙금 10만 원을 납부하였다).

② 운전면허를 취소함에 있어 일반적인 수익적 행정행위의 취소와는 달리 그 취소로 인하여 입게 될 당사자의 불이익보다는 이를 방지하여야 하는 일반예방적 측면이 더

욱 강조되어야 하는 이유는 음주운전으로 인한 교통사고가 빈번하고 그 결과가 참혹한 경우가 많아 대다수의 선량한 운전자 및 보행자를 보호하기 위하여 음주운전을 엄격하게 단속하여야 할 필요가 절실하기 때문인데, 음주운전으로 인한 위험성이 현저히 다른 경우라면 형벌뿐 아니라 행정처분에 대해서도 다른 기준을 적용할 필요성이 있다. 그럼에도 운전면허의 취소·정지 처분의 기준을 규정한 도로교통법 시행규칙 [별표 28]은 개인형 이동장치와 자동차를 구분하지 아니하고 동일한 기준을 정하고 있는데, 구체적인 사안에 대한 고려 없이 혈중알코올농도의 수치만을 절대적인 판단요소로 삼아 위 기준을 개인형 이동장치의 경우에도 그대로 기계적으로 적용하는 것은 재량권을 적정하게 행사한 것으로 받아들이기 어렵다.

③ 원고가 개인형 이동장치를 운전한 거리는 200m 정도로 매우 짧고, 실제 운전 상황이 어떠했는지, 그로 인하여 현실적으로 교통상의 장애나 위험이 얼마나 초래되었는지 알 수 있는 아무런 자료가 없다. 원고는 안전모 미착용을 이유로 단속되었고, 단속경위서(을 제7호증)에 따

르면 통고처분 발부 과정에서 음주 정황이 확인되었다는 것이어서 운전 태양이 비정상적이었던 것으로는 보이지 않는다.

④ 원고는 2004. 4. 2. 원동기장치자전거 운전면허를, 2006. 7. 14. 제1종 보통 운전면허를, 2008. 4. 15. 제2종 소형 운전면허를 각 취득한 이후, 이 사건 음주운전으로 단속되기 전까지 15년 넘는 기간 동안 음주운전을 하거나 교통사고를 일으킨 전력이 전혀 없다.

3. 결론

따라서 원고의 청구는 이유 있으므로 이를 인용하고, 이 사건 처분의 집행으로 원고에게 생길 수 있는 회복하기 어려운 손해를 예방하기 위하여 긴급한 필요가 있다고 인정되는 반면 집행정지로 말미암아 공공복리에 중대한 영향을 미칠 우려가 있다고 보기 어려우므로, 행정소송법 제23조 제2항 본문에 의하여 직권으로 이 사건 처분의 효력을 판결 확정시까지 정지하기로 하여 주문과 같이 판결한다.

다. 수원지방법원 2023. 2. 15. 선고 2022구단129 판결 [자동차운전면허취소처분취소]

[판결 주문]

1. 피고가 2021. 6. 16. 원고에 대하여 한 2021. 7. 1.자 운전면허(제2종 보통) 취소처분을 취소한다.

2. 소송비용은 피고가 부담한다.

1. 처분의 경위

가. 원고는 2022. 5. 14. 22:40경 평택시 B 앞 이면도로에서 혈중알코올농도 0.167%의 술에 취한 상태로 (차량번호 1 생략) 라세티 승용차를 운전하였다(이하 '이 사건 음주운전'이라 한다).

나. 피고는 2022. 6. 16. 원고에 대하여, 이 사건 음주운전을 이유로 도로교통법 제93조 제1항 제1호에 따라 원고의 운전면허(제2종 보통)를 2022. 7. 1.자로 취소하는 결정을 하였다(이하 '이 사건 처분'이라 한다).

다. 원고는 이 사건 처분에 불복하여 행정심판을 청구하였으나, 중앙행정심판위원회는 2021. 10. 12. 원고의 청구를 기각하는 재결을 하였다.

[인정 근거] 다툼 없는 사실, 갑 1, 10, 11, 14호증, 을 1~16호증의 각 기재 또는 영상, 변론 전체의 취지

2. 이 사건 처분의 적법 여부

가. 원고 주장의 요지

원고는 승용차 운전석 안에 앉아 있던 도중, 사실혼 관계에 있던 C이 술에 취해 차에서 내리라고 하면서 각목으로 승용차 앞 유리창을 반복하여 내리쳐 심하게 파손하였고, 이로 인해 생명의 위협을 느끼고 술을 마신 상태라는 것조차 망각한 채 이 사건 음주운전을 하게 되었다. 따라서 이 사건 음주운전 행위는 긴급피난에 해당하므로, 이와 다른 전제에서 이루어진 이 사건 처분은 위법하다.

설령 긴급피난에 해당하지 않는다고 하더라도, 위와 같은 이 사건 음주운전의 경위와 운전 거리가 약 10m에 불과한 점, 이 사건 처분으로 다니던 회사에서 퇴직할 수밖에 없었고, 운전면허 없이는 구직활동도 어려워 가족의 생계를 유지하기 어려운 점 등에 비추어 보면, 이 사건 처분은 달성하려는 공익에 비해 그로 인해 원고가 입는 불이익이 너무 커 재량권을 일탈, 남용한 위법이 있다.

나. 판단

1) 긴급피난 해당 여부

가) 행정법규 위반에 대하여 가하는 제재조치는 행정목적의 달성을 위하여 행정법규 위반이라는 객관적 사실에 착안하여 가하는 제재이므로 위반자의 고의·과실이 있어야만 하는 것은 아니나, 그렇다고 하여 위반자의 의무 해태를 탓할 수 없는 정당한 사유가 있는 경우까지 부과할 수 있는 것은 아니다(대법원 2014. 12. 24. 선고 2010두6700 판결 등 참조). 그리고 형법 제22조 제1항의 긴급피난이란 자기 또는 타인의 법익에 대한 현재의 위난을 피하기 위한 상당한 이유 있는 행위를 말하고, 여기서 '상당한 이유 있는 행위'에 해당하려면, 첫째 피난행위는 위난에 처한 법익을 보호하기 위한 유일한 수단이어야 하고, 둘째 피해자에게 가장 경미한 손해를 주는 방법을 택하여야 하며, 셋째 피난행위에 의하여 보전되는 이익은 이로 인하여 침해되는 이익보다 우월해야 하고, 넷째 피난행위는 그 자체가 사회윤리나 법질서 전체의 정신에 비추어 적합한 수단일 것을 요하는 등의 요건을 갖추어야 한다(대법원 2006. 4. 13. 선고 2005도9396 판결등 참조).

나) 위 인정 사실과 앞서 든 증거들, 갑 3, 4호증, 갑 12호증의 1, 3의 각 기재 또는 영상에 변론 전체의 취지를 종합하여 인정되는 다음과 같은 사실관계 내지 사정들에 비추어 보면, 원고의 이 사건 운전 행위는 C의 특수재물손괴 등 폭력행위로 인한 급박한 현재의 위난을 피하기 위해 상당한 이유가 있는 긴급피난 행위에 해당하여 위법성이 없고, 이 사건 음주운전 당시 원고에게 그 의무 위반을 탓할 수 없는 정당한 사유가 있었다고 봄이 타당하다. 따라서 이와 다른 전제에서 이루어진 이 사건 처분은 위법하다. 원고의 위 주장은 이유 있다.

① 원고는 지인들과 술을 마신 후 사실혼 관계에 있던 C(가정폭력 재발우려 등록대상자)의 집으로 귀가하였는데, C이 술에 취해 욕설을 하며 폭력을 행사하려 하자 이를 피해 집을 나와 자신의 승용차 운전석에 앉아 있었다. 그러던 중 C이 그곳으로 찾아와 원고에게 차에서 내리라고 하면서 각목으로 원고의 승용차 앞 유리창을 수회 내리쳐 유리창을 심하게 파손하였고, 깨진 유리 파편이 원고의 팔 등에 박히는 등 신체의 안전에 위협을 받게 되자

이 사건 음주운전을 하게 되었다.

② 원고는 약 10m 정도 승용차를 운전하던 중 도로에 주차된 다른 승용차의 좌측 뒷부분을 경미하게 충격하는 사고를 일으켰고, 그 직후 C이 보이지 않자 운전을 종료하였다.

③ 112 신고처리내역서에는 원고(전화번호: (전화번호 1 생략))가 112신고를 한 시각이 22:41경, 경찰이 현장에 출동한 시각이 23:02경으로 기재되어 있고, 수사결과보고서에 기재된 출동 경찰관의 보고 내용에 따르면, '남자가 차 안에 있는 사람을 위협하고 있다는 내용의 112신고를 받고 현장에 출동하여 보니 운전석에 원고가 탑승해 있었다'고 기재되어 있다.

④ 위와 같은 이 사건 음주운전 당시의 상황에 비추어 보면, 원고로서는 승용차를 운전하여 안전한 곳으로 이동하는 것이 C의 위협으로부터 피할 수 있는 유일한 수단이었던 것으로 보이고[경찰 출동에 소요되는 시간 등을 고려할 때, 경찰에 신고를 하는 것만으로는 C의 위협을 피하기 어려웠을 것으로 보인다. 한편 C의 위해행위는 특수

재물손괴 및 특수상해(또는 특수폭행)에 해당하는 중한 범죄행위로 보이나, 원고가 처벌불원의사를 밝혔다는 등의 이유로 C은 형사처벌을 받지 않은 것으로 보인다], 이 사건 음주운전으로 인하여 침해되는 이익에 비해 원고의 피난행위에 의하여 보전되는 이익인 원고의 신체적 안전이 더 우월한 것으로 인정된다.

⑤ 원고는 2022. 5. 19. 수원지방법원 평택지원(2021고정264호)에서 이 사건 음주운전 및 사고 후 인적사항 미제공으로 벌금 500만 원에 집행유예 1년을 선고받았고, 그 무렵 위 판결이 확정되었다. 그러나 위 형사판결에서 긴급피난 해당 여부에 관하여는 구체적인 심리. 판단이 이루어지지 아니한 것으로 보이는 점, 위 형사사건에서도 '원고가 술을 먹고 귀가하였다가 남편의 폭력을 피하기 위하여 집을 나와 차량 안에 들어와 있었는데, 남편이 차량 앞 유리창을 심하게 깨뜨리며 위협하자 이를 피하려다가 음주운전 등 범행에 이르게 된 점' 등의 정상이 참작되어 벌금형의 집행을 1년간 유예하는 판결이 선고된 점 등을 고려하면, 형사사건에서 이 사건 음주운전 행위에 대하여

유죄판결이 확정되었다는 사실이 위와 같은 판단에 방해가 된다고 보기 어렵다.

2) 재량권 일탈. 남용 여부

가) 제재적 행정처분이 사회통념상 재량권의 범위를 일탈하였거나 남용하였는지는 처분사유인 위반행위의 내용과 당해 처분행위에 의하여 달성하려는 공익목적 및 이에 따르는 제반 사정 등을 객관적으로 심리하여 공익 침해의 정도와 그 처분으로 개인이 입게 될 불이익을 비교. 교량하여 판단하여야 한다(대법원 2001. 3. 9. 선고 99두5207 판결 등 참조).

나) 이 사건 처분은 음주운전으로 야기될 생명. 신체. 재산에 대한 위험과 손해를 방지하여야 할 절실한 공익 목적이 있기는 하다. 그러나 ① 원고는 C이 집에서 술에 취해 욕설을 하며 폭력을 행사하자, 이를 피하기 위해 승용차에 승차하였고 처음부터 운전을 하려 하였던 것은 아니었던 점, ② 이 사건 음주운전 당시 C이 각목으로 승용차 유리창을 내리치고 이로 인해 유리 파편이 원고의 팔 등에 박히는 등 신체의 안전을 위협받게 되자 부득이하게

이 사건 음주운전을 하게 된 점, ③ 이 사건 음주운전을 한 거리는 10m 정도에 불과하고, 비록 음주운전 중 도로에 주차된 다른 승용차의 뒷부분을 충격하는 사고를 일으켰으나 그 파손의 정도가 경미한 것으로 보이는 점 등 원고가 이 사건 음주운전을 하게 된 경위, 전후 사정, 운전한 거리 및 시간, 원고가 입게 되는 불이익 등 이 사건 변론에 나타난 제반 사정을 모두 종합하여 보면, 설령 이 사건 음주운전 행위가 긴급피난의 요건을 갖추지 못하여 위법하다고 하더라도, 이 사건 처분은 그 위법행위의 정도에 비하여 과도한 처분으로서 재량권의 범위를 일탈하거나 남용한 것으로 위법하다고 판단된다.

3. 결론

원고의 이 사건 청구는 이유 있으므로 이를 인용하기로 하여, 주문과 같이 판결한다.

라. 의정부지방법원 2023. 1. 11. 선고 2021구단6810 판결 [자동차운전면허취소처분취소]

[판결 주문]

1. 피고가 2021. 4. 26. 원고에게 한 제2종 보통 운전면허취소 처분을 취소한다.

2. 소송비용은 피고가 부담한다.

1. **처분의 경위 등**

가. 원고는 2017. 4. 18. 혈중알코올농도 0.128%의 술에 취한 상태에서 자동차를 운전한 전력이 있다.

나. 피고는 2021. 4. 26. '원고가 2021. 4. 4. 00:47경 혈중알코올농도 0.030%의 술에취한 상태로 〈자동차번호〉호 K7 승용차를 〈주소〉에 있는 "E" 지하 1층 주차장에서 10m 가량 운전하여 2회 이상 음주운전을 하였다(이하 '이 사건 처분사유'라 한다)'라는 이유로 도로교통법 제93조 제1항 제2호에 따라 2021. 5. 24.자로 제2종 보통 운전면허를 취소하는 처분(이하 '이 사건 처분'이라 한다)을 하였다.

다. 원고는 2021. 6. 21. 이 사건 처분에 불복하여 중앙행정심판위원회에 그 취소를 구하는 행정심판을 청구하였으나, 중앙행정심판위원회는 2021. 7. 20. 원고의 청구를 기각하는 재결을 하였다(중앙행정심판위원회 2021-8667호).

라. 한편, 의정부지방법원은 2021. 8. 31. '원고가 이 사건 처분사유와 같이 2회 이상 음주운전을 하였다'라는 범죄

사실의 도로교통법위반(음주운전)죄로 원고를 벌금 1,000만 원에 처하는 약식명령을 하였다. 원고는 위 약식명령에 불복하여 위 법원에 정식재판을 청구하였다. 위 법원은 2022. 5. 26. '원고에 대하여 단 한 번 음주운전 기준 경계에 해당하는 혈중알코올농도 0.030%로 측정된 음주측정결과만으로는 이 사건 처분사유가 합리적 의심을 배제할 정도로 증명되었다고 볼 수 없다'라는 이유로 원고에게 무죄 판결을 선고하였다(의정부지방법원 2022. 5. 26. 선고 2021고정796 판결. 이하 '이 사건 형사판결'이라 한다). 검사가 이 사건 형사판결에 불복하여 의정부지방법원에 항소하여, 이 사건 변론종결일 현재 이 사건 형사판결에 대한 항소심이 계속 중이다(의정부지방법원 2022노1456호 사건).

2. 원고 주장의 요지

원고에 대하여 단 한 번 음주운전 기준 경계에 해당하는 혈중알코올농도 0.030%로측정된 음주 측정결과만으로는 이 사건 처분사유가 있었다고 인정하기에 부족하다. 설령

이 사건 처분사유가 있었다고 하더라도 이는 긴급피난에 해당하여 위법성이 없다. 또한 원고가 운전한 지하주차장은 도로교통법이 정한 '도로'가 아니어서 여기에서 술에 취한 상태로 운전하였다는 것을 사유로는 운전면허취소처분을 할 수 없다. 이처럼 처분사유가 존재하지 않음에도 이루어진 이 사건 처분은 위법하다.

3. 관련 법령

별지 관련 법령 기재와 같다.

4. 판단

가. 관련 법리

1) 민사소송법 규정이 준용되는 행정소송에서 증명책임은 원칙적으로 민사소송 일반원칙에 따라 당사자 간에 분배되고, 항고소송의 경우에는 그 특성에 따라 처분의 적법성을 주장하는 피고에게 그 적법사유에 대한 증명책임이

있다(대법원 2017. 7. 11. 선고 2015두2864 판결 등 참조).

2) 구 도로교통법(2010. 7. 23. 법률 제10382호로 개정되기 전의 것) 제2조 제24호는 "운전이라 함은 도로에서 차마를 그 본래의 사용방법에 따라 사용하는 것(조종을포함한다)을 말한다."라고 정하여 도로교통법상 '운전'에는 도로 외의 곳에서 한 운전은 포함되지 않는 것으로 보았다. 위 규정은 2010. 7. 23. 법률 제10382호로 개정되면서 " 운전이라 함은 도로(제44조, 제45조, 제54조 제1항, 제148조 및 제148조의2에 한하여 도로 외의 곳을 포함한다)에서 차마를 그 본래의 사용방법에 따라 사용하는 것(조종을 포함한다)을 말한다."라고 정하여, 음주운전에 관한 금지규정인 같은 법 제44조 및 음주운전·음주 측정거부 등에 관한 형사처벌 규정인 같은 법 제148조의2의 ' 운전'에는 도로 외의 곳에서 한 운전도 포함되게 되었다. 이후 2011. 6. 8. 법률 제10790호로 개정되어 조문의 위치가 제2조 제26호로 바뀌면서 "운전이란 도로(제44조, 제45조, 제54조 제1항, 제148조 및 제148조의2의 경우에는 도로 외의 곳을 포함한다)에서 차마를 그 본래의 사

용방법에 따라 사용하는 것(조종을 포함한다)을 말한다." 라고 그 표현이 다듬어졌다. 위 괄호의 예외 규정에는 음주운전·음주 측정거부 등에 관한 형사처벌 규정인 도로교통법 제148조의2가 포함되어 있으나, 행정제재처분인 운전면허 취소·정지의 근거 규정인 도로교통법 제93조는 포함되어 있지 않기 때문에 도로 외의 곳에서의 음주운전·음주 측정거부 등에 대해서는 형사처벌만 가능하고 운전면허의 취소·정지 처분은 부과할 수 없다(대법원 2021. 12. 10. 선고 2018두42771 판결 등 참조).

구 도로교통법(2022. 1. 11. 법률 제18741호로 개정되기 전의 것. 이하 같다) 제2조 제1호는 '도로'를 '도로법에 따른 도로, 유료도로법에 따른 도로, 농어촌도로 정비법에 따른 도로, 그 밖에 현실적으로 불특정 다수의 사람 또는 차마가 통행할 수 있도록 공개된 장소로서 안전하고 원활한 교통을 확보할 필요가 있는 장소'라고 정의하고 있다.

아파트 단지 내 도로가 도로교통법 제2조 제1호가 정한 '도로'에 해당하는지는 아파트 단지와 주차장의 규모와 형태, 아파트 단지나 주차장에 차단 시설이 설치되어 있는지 여부, 경비원 등에 의한 출입 통제 여부, 아파트 단지 주민이 아닌 외부인이 주차장을 이용할 수 있는지 여부 등을 기준으로 판단하여야 한다(대법원 2017. 12. 28. 선고 2017도17762 판결 참조).

나. 구체적 판단

1) 앞서 든 증거에 의하여 인정할 수 있는 다음의 사실 및 사정, 즉 ○ 호흡으로 혈중알코올농도를 측정하는 호흡측정의 기본 전제는 폐포의 혈액에서 증발된 알코올이 혈액 내 알코올 농도를 일정하게 반영한다는 것, 즉 혈중알코올농도와 호흡알코올농도의 비율(혈액호흡비율, Blood Breath Partition Ratio, BBRP)이 일정하다는 것인데, 실제로 혈액호흡비율은 개인마다 1489:1(호흡 1489ml가 혈액 1ml와 동일한 알코올 농도를 나타낸다는 의미)부터 3101:1(호흡 3101ml가 혈액 1ml와 동일한 알코올 농도를 나타낸다는 의미)로 다양한 범위를 가지고 있고, 혈액호흡비율은 체온, 과호흡, 습도 등 다양한 변수에 영향을 받는 점, ○ 도로교통법은 경찰공무원으로 하여금 운전자

가 술에 취하였는지를 호흡조사로 측정할 수 있도록 정하고, 그 측정결과에 불복하는 운전자에 대하여는 그 운전자의 동의를 받아 혈액 채취 등의 방법으로 혈중알코올농도를 다시 측정할 수 있도록 정하고 있으므로, 위와 같은 내재적인 한계만을 들어 호흡조사를 통한 혈중알코올농도의 측정결과만으로는 피고인의 혈중알코올농도가 증명되지 않았다고 할 수는 없지만, 이 사건과 같이 호흡조사를 통한 피고인의 혈중알코올농도의 측정결과가 정확히 도로교통법이 정한 술에 취한 상태의 경계에 있는 경우에는 그 내재적인 한계를 고려하여 반복된 호흡조사를 할 필요성이 있는 점, ○ 음주 측정기가 피측정자에게 유리하도록 하향 편차 -5%가 적용된 혈중알코올농도 수치를 표시하는 점을 고려하더라도, 피측정자의 신체적·심리적 상황에 따른 호흡의 정도 등에 따라 측정할 때마다 혈중알코올농도가 조금씩 달라질 여지가 있는 점, ○ 의정부지방법원은 앞서 든 여러 사정을 이유로 이 사건 처분사유와 같은 도로교통법위반(음주운전) 혐의로 기소된 원고에게 무죄 판결을 선고한 사실 등에 비추어, 이 사건에 제출된 것과 같이 '원고가 단 한 차례 호흡측정방식에 의한 음주 측정을 한 결과 혈중알코올농도가 도로교통법이 정한 음주운전 기준인 0.030%로 측정되었다'라는 사실에 관한 증거만으로는 이 사건 처분사유가 충분히 증명되었다고 보기 어렵고, 달리 이를 인정할 증거가 없다.

2) 한편, 앞서 본 것처럼 도로 외의 곳에서의 음주운전·음주 측정거부 등에 대해서는 형사처벌만 가능하고 운전면허의 취소·정지 처분은 부과할 수 없다. 그런데 을제11, 14호증의 각 기재 및 영상 등 이 사건에 제출된 증거만으로는 원고가 이 사건 처분사유와 같이 운전을 한 장소인 "E" 지하 1층 주차장이 현실적으로 불특정 다수의 사람 또는 차마가 통행할 수 있도록 공개된 장소로서 안전하고 원활한 교통을 확보할 필요가 있는 장소라고 인정하기에 부족하고, 달리 이를 인정할 증거가 없다.

다. 소결론

따라서 이 사건 처분은 처분사유가 증명되지 않았음에도 이루어진 것이어서 위법하므로 취소되어야 한다(이 사건 처분사유가 증명되지 않았음을 이유로 이 사건 처분을 취소하는 이상, 원고의 다른 주장에 관하여는 나아가 살피지 않는다).

5. 결론

그렇다면 원고의 청구는 이유 있어 이를 인용하기로 하여 주문과 같이 판결한다.

마. 춘천지방법원 2023. 1. 10. 선고 2022구합31189 판결 [자동차운전면허취소처분취소]

[판결 주문]

1. 피고가 2021. 12. 17. 원고에게 한 자동차운전면허(제2종 보통) 취소처분을 취소한다.

2. 소송비용은 피고가 부담한다.

1. 처분의 경위

가. 원고는 2021. 10. 30. 04:24경 혈중알코올농도 0.199%의 술에 취한 상태로 이천시 B 앞 도로에서 C에 있는 D 앞 도로에 이르기까지 약 100m 구간에서 승용차를 운전하였다(이하 '이 사건 음주운전'이라 한다).

나. 피고는 2021. 12. 17. 원고에게 이 사건 음주운전을 이유로 도로교통법 제93조 제1항 제1호에 따라 원고의 자동차 운전면허(제2종 보통)를 취소하는 처분을 하였다(이하 '이 사건 처분'이라 한다).

다. 원고는 이 사건 처분에 불복하여 2022. 1. 20. 중앙행정심판위원회에 행정심판을 청구하였으나 2022. 3. 22. 기각되었다.

[인정근거] 다툼 없는 사실, 갑 제1호증, 을 제1 내지 4호증의 각 기재, 을 제7호증의 일부 기재, 변론 전체의 취지

2. 이 사건 처분의 적법 여부

가. 원고 주장의 요지

원고는 차량 탑승 직후 공황발작이 일어나 자신도 모르게 차량 안에 있던 소주를 마시고 119에 구조를 요청하였는데 119 구급대원이 원고의 위치를 특정하기 위하여 운전이 부득이하다고 말하여 이 사건 음주운전에 이르게 된 것이므로 그 경위에 참작할 사정이 있는 점, 이 사건 음주운전 거리가 짧은 점, 원고는 이 사건 음주운전 이전부터 공황장애를 앓고 있었던 점, 원고가 교통법규를 위반한 전력이 일체 없는 점, 원고의 생계유지를 위하여 운전면허가 필수적인 점 등을 종합하면, 이 사건 처분에는 비례의 원칙을 위반하여 재량권을 일탈 · 남용한 위법이 있다.

나. 관계 법령

별지 '관계 법령' 기재와 같다.

다. 판단

1) 관련 법리

제재적 행정처분이 사회통념상 재량권의 범위를 일탈하였거나 남용하였는지는 처분사유인 위반행위의 내용과 당해 처분행위에 의하여 달성하려는 공익목적 및 이에 따르는 제반 사정 등을 객관적으로 심리하여 공익 침해의 정도와 그 처분으로 개인이 입게 될 불이익을 비교. 교량하여 판단하여야 한다(대법원 2000. 4. 7. 선고 98두11779 판결 참조).

2) 인정사실

① 원고는 2021. 6. 3.부터 E의원에서 공황장애로 약물치료 등의 진료를 지속적으로 받았다.

② 이 사건 음주운전에 대한 수사결과보고서에는 '원고는 자신의 차 안에서 혼자 술을 마셨고, 갑자기 찾아온 발작증세로 인하여 119에 신고하여 도움을 받고자 하였으나 구급대원들이 위치를 찾지 못하여 큰 도로 방면으로 운전을 하여 나간 것이다.'라고 기재되어 있다.

③ 119 구급대원은 출동 중 원고와 통화하며 "GPS의 한계로 원고가 있는 장소를 알 수 없다. 큰 건물이나 큰 도로가 있는 곳으로 나와 달라"고 말하였다. 이에 원고는

위 구급대원에게 운전을 해도 괜찮은지 물어보았고, 위 구급대원은 "그래도 어쩔 수 없다. 큰 도로로 나와서 위치를 알려 달라. 그러지 않으면 찾을 수 없다"고 답변하였다. 위 구급대원은 그 후 숨이 가빠하며 횡설수설하는 원고에게 여러 차례 "큰 도로나 큰 건물로 나와 달라"고 말하였다.

④ 원고는 위 구급대원과의 통화 직후인 2021. 10. 30. 04:13경 자신의 승용차 안에서 휴대전화로 아래 사진을 촬영하여 구급대원에게 전송하였다.

⑤ 원고는 같은 날 04:40경 경찰관과 함께 F병원으로 이동하여 진료 당시 호흡곤란을 호소하였다. 원고는 2021. 12. 3. 04:00경 의식장애, 호흡곤란을 이유로 병원으로 이송되기도 하였다.

⑥ 춘천지방검찰청 강릉지청 검사는 2022. 2. 17. 원고가 이 사건 음주운전 전에 호흡곤란 등 발작증세가 나타나 119에 신고한 점, 원고는 119 구급대원과 통화 중 술을 마신 상태여서 운전할 수 없다고 말한 점, 119 구급대원이 원고에게 큰 도로가 있는 곳까지 나오라 말하고, 이에

원고가 운전해도 괜찮은지 수차례 묻자 구급대원이 "어쩔 수 없다"고 대답한 점이 확인되어 이 사건 음주운전 경위에 참작할 사정이 있고, 운전거리가 약 100m에 불과한 사정 등을 고려하여 이 사건 음주운전에 관하여 기소유예 처분을 하였다.

[인정근거] 앞서 든 증거들, 갑 제3, 4, 6 내지 8, 12호증(가지번호 있는 것은 가지번호 포함, 이하 같다)의 각 기재 또는 영상, 변론 전체의 취지

3) 구체적 판단

살피건대, 앞서 든 증거들, 을 제8호증의1, 2, 3, 제9호증의 각 기재에 변론 전체의 취지를 더하여 인정할 수 있는 다음과 같은 사정들을 종합하여 보면, 이 사건 처분에는 비례의 원칙을 위반하여 재량권을 일탈. 남용한 위법이 있다고 인정된다. 따라서 원고의 주장은 이유 있다.

① 이 사건 음주운전은 원고의 위치를 특정할 수 있도록 이동하라는 구급대원의 요청에 의하여 이루어졌고, 구급대원은 그 당시 운전을 해도 괜찮은지 묻는 원고의 질문에 대하여 어쩔 수 없다는 취지로 답변하였다. 그리고 원

고가 통화 당시 있던 장소는 주변에 건물 등이 전혀 없는 차도 갓길이고, 그 당시는 04:13 무렵으로 현장 주변에 구조를 요청할 만한 차량이나 사람이 없었으며, 그 당시 원고는 공황 발작으로 인하여 인접차선 및 반대차선을 가로질러 맞은편 차도에 연접한 건물까지 걸어가는 것이 불가능하였던 것으로 보인다. 이와 같은 사정을 종합하여 보면, 이 사건 음주운전이 불가피하였다고 봄이 타당하다.

② 이 사건 음주운전 거리는 약 100m에 불과하다. 이 사건 음주운전은 구급대원의 요청에 따라 건물에 접근하기 위하여 이루어졌고, 이 사건 음주운전 종료 지점이 가게 부근 도로인 점에 비추어 보면, 이 사건 음주운전은 그 목적에 부합하는 최소한도 내에서 이루어졌다고 인정할 수 있다.

③ 원고는 2011. 6. 30. 자동차운전면허를 발급받았는데, 이 사건 음주운전 당시까지 교통 법규를 위반한 내역이 없다.

④ 위 ① 내지 ③의 사정을 종합하여 보면, 이 사건 처분

으로 달성하려는 교통사고 방지의 공익에 비하여 이 사건 처분으로 인하여 침해되는 원고의 불이익이 더 크다.

3. 결 론

원고의 청구는 이유 있으므로 이를 인용하기로 하여 주문과 같이 판결한다.

8. 집행유예 기간 중 음주운전, 집행유예 가능할까?

■ 형법

제62조(집행유예의 요건)

① 3년 이하의 징역이나 금고 또는 500만원 이하의 벌금의 형을 선고할 경우에 제51조의 사항을 참작하여 그 정상에 참작할 만한 사유가 있는 때에는 1년 이상 5년 이하의 기간 형의 집행을 유예할 수 있다. 다만, 금고 이상의 형을 선고한 판결이 확정된 때부터 그 집행을 종료하거나 면제된 후 3년까지의 기간에 범한 죄에 대하여 형을 선고하는 경우에는 그러하지 아니하다.

제63조(집행유예의 실효) 집행유예의 선고를 받은 자가 유예기간 중 고의로 범한 죄로 금고 이상의 실형을 선고받아 그 판결이 확정된 때에는 집행유예의 선고는 효력을 잃는다.

제65조(집행유예의 효과) 집행유예의 선고를 받은 후 그 선고의 실효 또는 취소됨이 없이 유예기간을 경과한 때에는 형의 선고는 효력을 잃는다.

언론 보도에 따르면, 음주운전 재범률은 약 40~45%에 이른다고 합니다. 이처럼 음주운전으로 처벌받은 전력이 있음에도 또다시 음주운전으로 적발되는 경우 무거운 처벌을 받는 것은 당연한 결과입니다. 음주운전 전과가 있는 사람이 다시 음주운전으로 적발된다면 실형, 즉 감옥에 갈 가능성이 크고, 그래서 최소한 실형만은 면하고 집행유예를 받기 위해 변호사를 선임하여 재판에 대비합니다. 집행유예를 받으면, 예를 들어 판사님으로부터 징역 1년, 집행유예 2년을 선고받으면, 원래는 1년간 감옥에 갇혀있어야 하지만, 집행유예 기간인 2년 동안 큰 잘못을 저지르지 않고 2년이 지나면, 1년의 형 선고 효력이 상실되어 감옥에 가지 않게 됩니다.

그런데, 음주운전으로 적발되어 집행유예를 선고받고, 집행유예 기간에 있는 사람이 또다시 음주운전을 하여 적발되면 어떻게 될까요? 예를 들어 2024년 1월에 음주운전으로 징역 1년, 집행유예 2년을 선고받은 사람이 2년이 지나기 전인 2024년 6월에 다시 음주운전으로 적발되어 징역 2년을 선고받는다면? 이런 경우는 형법 제63조에 따라 기존에 선고받았던 징역 1년이 부활하고, 뒤에 선고받은 징역 2년까지 더하여 총 3년의 징역을 감옥에서 살아야 합니다.

그렇다면, 집행유예 기간 중 음주운전을 하여 적발되면, 무조건 앞서 선고받은 형이 부활하고, 다른 방법은 없을까요? 그렇지는 않습니다.

■ 대법원 2007. 2. 8. 선고 2006도6196 판결

집행유예 기간 중에 범한 죄에 대하여 형을 선고할 때에, 집행유예의 결격사유를 정하는 형법 제 62 조 제 1 항 단서 소정의 요건에 해당하는 경우란, 이미 집행유예가 실효 또는 취소된 경우와 그 선고 시점에 미처 유예기간이 경과하지 아니하여 형 선고의 효력이 실효되지 아니한 채로 남아 있는 경우로 국한되고, 집행유예가 실효 또는 취소됨이 없이 유예기간을 경과한 때에는, 형의 선고가 이미 그 효력을 잃게 되어 '금고 이상의 형을 선고'한 경우에 해당한다고 보기 어려울 뿐 아니라, 집행의 가능성이 더 이상 존재하지 아니하여 집행종료나 집행면제의 개념도 상정하기 어려우므로 위 단서 소정의 요건에 해당하지 않는다고 할 것이므로, 집행유예 기간 중에 범한 범죄라고 할지라도 집행유예가 실효 취소됨이 없이 그 유예기간이 경과한 경우에는 이에 대해 다시 집행유예의 선고가 가능하다.

위 대법원 판례에서 보시는 것처럼, 집행유예 기간에 음주운전으로 적발된다고 하더라도, 집행유예 기간이 종료된 이후에 판결을 선고받는다면, 다시 집행유예를 선고받을 수도 있습니다. 예를 들어 2024년 6월에 첫 번째 음주운전으로 징역 1년, 집행유예 2년을 선고받고, 집행유예 기간인 2026년 3월에 두 번째 음주운전으로 적발될 수 있습니다. 이런 경우 두 번째 음주운전에 대하여 집행유예 기간인 2026년 5월에 선고를 받는다면 두 번째 음주운전에 대하여 집행유예 선고는 불가능합니다. 하지만 두 번째 음주운전에 대하여 첫 번째 음주운전으로 선고받은 집행유예 기간이 지난 2026년 7월에 선고를 받는다면 집행유예를 선고받을 가능성이 생기는 것입니다. 물론, 이때에도 집행유예를 선고받을 '가능성'이 있다는 것이고, 사건의 중대성 등 여러 사정을 참작하여 판사님께서 실형을 선고할 수도 있습니다. 정리하면, 집행유예 기간에 또다시 음주운전을 한 사람이라도, 때에 따라서 다시 집행유예를 선고받을 가능성은 있는 것입니다. 결국, 집행유예 기간에 음주운전으로 단속된 사람은, 앞선 집행유예 기간이 종료된 이후에 판결이 선고될 수 있도록 시간을 지연하는 전략이 필요한 것입니다.

1회 음주운전	2회 음주운전		2회 음주운전에 대한 집행유예 선고 가능성
2024. 6. 1. 확정 징역 1년, 집행유예 2년	단속 시점	선고 시점	
	2026. 7. 1. (집유 종료 후 단속)		O
	2026. 1. 1. (집유 기간 중 단속)	2026. 3. 1. (집유 기간 중 선고)	X
	2026. 1. 1. (집유 기간 중 단속)	2026. 7. 1. (집유 종료 후 선고)	O

Ⅱ. 변호사의 꿀팁

1. 집행유예를 위한 시간 끌기

앞서 설명해 드린 것처럼, 집행유예 기간에 음주운전으로 적발된다 하더라고, 집행유예 기간이 종료된 이후에 판결을 선고받는다면, 다시 집행유예를 선고받을 수도 있습니다. 따라서 집행유예 기간에 음주운전을 한 사람은, 집행유예 기간이 종료된 이후에 판결을 선고받을 수 있도록 시간을 지연하는 전략을 사용해야 할 것입니다.

시간을 지연하는 방법으로 첫째, 경찰 수사를 최대한 늦게 받습니다. 음주운전으로 적발되면 며칠 뒤 관할 경찰서 담당 형사로부터 전화가 옵니다. 음주운전으로 조사를 받으러 오라고 하면서 1~2주 내로 날짜를 지정합니다. 이때 경찰이 지정한 날짜에 바로 조사를 받으러 갈 필요는 없습니다. 경찰관이 불러주는 날짜에 최대한 가고 싶지만, 개인 사업, 직장, 학업, 건강상 문제 등의 사유를 들면서 최대한 경찰관이 지정하는 날짜보다 1~2주가량 조사 날짜를 연기해 달라고 요청할 수 있습니다. 공손하게 요청하면 대부분의 경찰관님이 사정을 봐주시고 조사 일정을 연기해 주십니다. 이렇게 1주에서 2주의 시간을 벌 수 있습니다.

둘째, 변호사를 선임합니다. 앞서 연기한 조사 일정이 다가올 때쯤 변호사를 선임합니다. 그러면 이제는 변호사가 경찰관에게 연락합니다. 경찰 조사를 받기 위해서는 경찰, 피의자, 변호사 3명의 시간이 모두 맞아야 합니다. 그래서 변호사 사무실에서 경찰에게 전화하여 3명의 일정을 조율합니다. 변호사는 보통 재판이나 수사로 시간이 많이 없습니다. 그래서 처음에 피의자와 경찰이 약속한 날짜에는 조사를 받을 수 없습니다. 따라서 일정을 연기할 수밖에 없고, 이때 1~2주의 시간을 다시 벌 수 있습니다.

셋째, 사건이 검찰로 송치되면 검찰에 전화하여, 변호인의견서를 제출할 예정이니 기소를 조금만 늦춰달라고 요청합니다. 음주운전 사건의 경우 혐의가 분명하고 증거가 명백하므로 사건이 검찰로 송치되면 빠르게 기소되는 경우가 많습니다. 이처럼 신속한 기소를 막기 위하여 조금이라도 시간을 벌기 위하여 검찰에 의견서 제출을 이유로 기소를 늦춰달라고 요청하는 것입니다. 이러한 요청을 들어주지 않는 검사님도 많지만, 어찌 되었든 시도해 볼 방법입니다. 이러한 행위로 적어도 1주일 이상 시간을 벌 수 있습니다.

넷째, 공판기일 변경을 신청합니다. 검사님이 사건을 재판에 회부하면, 즉 기소하면 이제는 사건이 법원으로 넘어가고, 공판기일이 잡힙니다. 이때 결정된 공판기일에 대하여 변호사 사무실에서 공판기일 변경 신청을 할 수 있습니다. 해당 날짜에 다른 재판이 있거나, 피의자가 병원에 입원하는 등 부득이 재판에 참석할 수 없는 사유를 기재하여 공판기일 연기를 신청하면 1회 정도는 연기할 수 있습니다. 이때 통상 3주 정도 기일이 연기됩니다.

이런 식으로 조금씩 시간을 벌어가다 보면 통상적인 절차보다 적게는 1~2개월에서 많게는 3개월 이상 선고일을 지연할 수 있습니다. 통상 음주운전으로 적발된 때로부터 판결을 선고받을 때까지 4개월에서 6개월 정도 소요되는 것을 고려하면, 최대 9개월 정도 시간을 지연할 수 있는 것입니다. 따라서 음주운전으로 집행유예 기간에 있었는데 또다시 음주운전으로 적발된 경우라 하더라도 포기하지 말고, 즉시 변호사와 상담하여 시간을 지연할 방법을 연구하시기 바랍니다. 그리하여 판결 선고 일자가 집행유예 기간 이후에 지정될 수 있도록 전략을 수립하여야 할 것입니다.

✔ 신 변호사의 꿀팁!

재판 시간 끌기?

1. 경찰 수사를 최대한 늦게 받기

2. 변호사를 선임

3. 사건이 검찰로 송치되면 검찰에 전화하여, 변호인의견서를 제출할 예정이니 기소를 조금만 늦춰달라고 요청

4. 공판기일 변경을 신청합니다.

2. 특정범죄가중처벌등에관한법률위반죄 방어

■ 특정범죄 가중처벌 등에 관한 법률 (약칭: 특정범죄가중법)

제5조의11(위험운전 등 치사상) ① 음주 또는 약물의 영향으로 정상적인 운전이 곤란한 상태에서 자동차등을 운전하여 사람을 상해에 이르게 한 사람은 1년 이상 15년 이하의 징역 또는 1천만원 이상 3천만원 이하의 벌금에 처하고, 사망에 이르게 한 사람은 무기 또는 3년 이상의 징역에 처한다.

② 음주 또는 약물의 영향으로 정상적인 운항이 곤란한 상태에서 운항의 목적으로 「해사안전법」 제41조제1항에 따른 선박의 조타기를 조작, 조작 지시 또는 도선하여 사람을 상해에 이르게 한 사람은 1년 이상 15년 이하의 징역 또는 1천만원 이상 3천만원 이하의 벌금에 처하고, 사망에 이르게 한 사람은 무기 또는 3년 이상의 징역에 처한다.

■ 대법원 2008. 11. 13. 선고 2008도7143 판결

음주로 인한 특정범죄가중처벌 등에 관한 법률 위반(위험운전치사상)죄는 도로교통법 위반(음주운전)죄의 경우와는 달리 형식적으로 혈중 알코올농도의 법정 최저기준치를 초과하였는지 여부와는 상관없이 운전자가 음주의 영향으로 실제 정상적인 운전이 곤란한 상태에 있어야만 하고, 그러한 상태에서 자동차를 운전하다가 사람을 상해 또는 사망에 이르게 한 행위를 처벌대상으로 하고 있는 바, 이는 음주로 인한 특정범죄가중처벌 등에 관한 법률 위반(위험운전치사상)죄는 업무상과실치사상죄의 일종으로 구성요건적 행위와 그 결과 발생 사이에 인과관계가 요구되기 때문이다.

앞서 살펴본 것처럼 음주운전으로 사람을 다치게 하거나 사망하게 하면 특정범죄가중처벌법(특가법) 위반죄로 처벌받을 수 있습니다. 그런데 특가법 위반죄의 형량은 음주운전

관련 범죄 중 가장 무겁습니다. 그래서 음주운전으로 사람을 다치게 하였더라도 가능하면 특가법이 적용되지 않도록 방어할 필요가 있습니다,

위 대법원 판례에서 보는 바와 같이, 음주운전으로 사람을 다치게 한 경우라도 무조건 특가법이 적용되는 것은 아닙니다. 위 판례에서 핵심적인 부분은 "형식적으로 혈중알코올 농도의 법정 최저기준치를 초과하였는지 여부와는 상관없이 운전자가 음주의 영향으로 실제 정상적인 운전이 곤란한 상태에 있어야만 하고," 부분입니다. 즉, 사고 당시 음주의 영향으로 실제 정상적인 운전이 곤란한 상태에 있었는지에 따라 특가법이 적용될지 결정된다는 것입니다. 술을 마셨다 하더라도 사람에 따라서 술의 영향을 적게 받아 정상적으로 운전을 하는 사람도 있기 때문입니다. 따라서, 음주운전 피의자의 경우 특가법 적용을 피하기 위해서는 사고 당시 음주운전을 한 것은 맞지만, 그렇다고 정상적인 운전을 못 할 정도는 아니었다는 사실을 소명해야 합니다.

소명방법으로 첫째, 사고 직후 행동을 자세히 기억해서 구체적으로 진술하는 것입니다. 경찰 조사를 받을 때 경찰은 사건 경위를 진술해 보라고 요구합니다. 이때 당시 상황을 잘 기억하지 못한다면, 사고 당시 술에 많이 취해 있었다고 볼 수 있어 특가법이 적용될 가능성이 높아지는 것입니다. 따라서 사건의 시간, 장소, 사건의 경위, 사고 발생 직후 경찰 신고를 누가 하였는지, 보험사에 전화는 하였는지, 사후 조치는 어떻게 취하였는지 등에 대하여 아주 자세히 경찰에 진술하는 것이 중요합니다.

둘째, 유리한 블랙박스 영상을 제출하는 것입니다. 블랙박스 영상 제출은 매우 신중하여야 하는데, 이것이 피의자에게 유리할 수도 있고 불리할 수도 있기 때문입니다. 사고 발생 이후 다음날쯤 차량을 돌려받게 되면 즉시 블랙박스 영상을 확인해야 합니다. 확인해서 사고 당시 상황을 분석해야 합니다. 사고 당시에 신호위반이나 과속이 있었던 경우, 차선을 심하게 이탈하면서 지그재그로 운전한 경우, 앞차가 정차하였는데도 속도를 줄이지 않고 그대로 진행하여 충돌한 경우, 사고 직후 차에서 내려 비틀비틀 걸어가는 경우 등의 상황이 녹화되어 있다면 이는 매우 불리한 증거가 되므로, 경찰에 제출하지 않을 방법을 찾아야 합니다. 위와 같은 행동을 한 영상은 그 자체로 사고 당시 술의 영향으로 정상적인 운전이 곤란한 상태에 있었다는 증거가 될 것이기 때문입니다.

반대로 차가 매우 서서히 진행하다가 앞차와 살짝 충돌하는 경우, 신호를 잘 지키고 정상적인 속도로 운전하는 경우, 사고 발생 즉시 정상적인 걸음으로 나와 후속 조치를 취하는 경우 등의 상황이 블랙박스에 녹화되어 있다면, 이는 경찰에 꼭 제출하여야 합니다. 이러한 영상이 그 자체로 운전자가 술은 마셨으나 정상적인 운전이 곤란한 상태는 아니었다는 사실을 뒷받침할 증거가 되기 때문입니다.

<u>셋째, 사고 발생 이후 경찰에 신고하거나 보험사에 신고한 사실이 있다면 그 통화 녹음을 제출하는 것입니다.</u> 이때도 블랙박스 영상과 마찬가지로 녹음 내용을 미리 들어봐야 합

니다. 들어보고, 피의자의 발음이 정확하고, 사실관계를 비교적 명확하게 설명하고 있다면, 그 자체로 정상적인 운전이 곤란한 상태는 아니었다는 사실이 입증될 것입니다. 반대로 발음이 부정확하고, 상황을 잘 설명하지 못하고 횡설수설한다면, 그 통화 녹음은 제출해서는 안 됩니다.

신 변호사의 꿀팁!

특정범죄가중처벌등에관한법률 위반죄 방어?

1. 사고 직후 행동을 자세히 기억해서 구체적으로 진술

2. 유리한 블랙박스 영상을 제출

3. 사고 발생 이후 경찰에 신고하거나 보험사에 신고한 사실이 있다면 그 통화 녹음을 제출

Ⅲ. 법무법인 프런티어 음주운전 사건 수행 사례

1. 음주운전 전과 1회: 징역 1년, 집행유예 2년

가. 사건번호

부산지방법원 동부지원 2023. 10. 5. 선고 2023고단1336 판결 [도로교통법위반(음주운전)]

나. 변호인

법무법인 프런티어

담당변호사 이상현, 신정우, 문희웅, 허원태

다. 범죄사실

피고인은 2015. 7. 1. 창원지방법원에서 도로교통법위반(음주운전)죄로 벌금 400만 원의 약식명령을 발령받아 같은 달 28일 그 명령이 확정된 사람이다. 피고인은 2023. 6. 9. 00:00경 김해시 B 아파트 앞 노상주차장부터 김해시 C 아파트 앞 D 사거리 인근 도로까지 약 150m 구간에서 혈중알코올농도 0.058%의 술에 취한 상태로 (차량번호 1 생략) 쏘나타 승용차를 운전하였다. 이로써 피고인은 도로교통법 제44조 제1항을 위반하여 벌금 이상의 형을 선고받고 그 형이 확정된 날부터 10년 이내에 다시 같은 조 제1항을 위반하였다.

라. 양형 이유

아래와 같은 여러 양형 조건과 피고인의 연령, 성행, 환경, 이 사건 각 범행의 동기 및 경위, 수단과 결과, 범행 후의 정황 등 이 사건 기록과 공판 과정에 나타난 모든 양형 요소들을 종합적으로 고려하여 주문과 같이 형을 정한다.

○ 유리한 양형 조건: 이 사건 범행을 인정하고 반성하는 모습을 보이는 점, 음주운전한 거리가 비교적 짧은 점

○ 불리한 양형 조건: 동종 범죄로 처벌받은 전력이 있음에도 재범한 점

마. 판결 주문

피고인을 징역 1년에 처한다.

다만, 이 판결 확정일로부터 2년간 위 형의 집행을 유예한다.

피고인에게 40시간의 준법 운전 강의 수강을 명한다.

2. 음주운전 전과 1회 혈중알코올농도 0.15% 만취: 징역 1년, 집행유예 2년

가. 사건번호

부산지방법원 동부지원 2022. 3. 8. 선고 2021고단2135 판결 [도로교통법위반(음주운전)]

나. 변호인

법무법인 프런티어

담당변호사 신정우

다. 범죄사실

피고인은 2021. 10. 22. 22:40경 혈중알코올농도 0.150%의 술에 취한 상태로 부산 연제구 B에 있는 C 앞 도로부터 부산 해운대구 D 빌라 주차장까지 (차량번호 1 생략) 쏘렌토 승용차를 4km 정도 운전하였다.

라. 양형 이유

피고인은 음주운전으로 벌금형을 받은 전력이 있음에도 다시 이 사건 음주운전을 한 점, 운전 당시 혈중알코올농도가 낮지 않은 점 등의 불리한 양형 요소와 피고인이 자신의 잘못을 반성하는 점, 벌금형보다 중한 형으로 처벌받은 전력은 없는 점 등의 유리한 양형 요소, 그 밖에 피고인의 나이, 성행, 환경, 가족관계, 범행의 동기와 결과, 범행 후의 정황 등 이 사건 변론에 나타난 양형의 조건이 되는 여러 사정을 두루 참작하여 형을 정하였다.

마. 판결 주문

피고인을 징역 1년에 처한다.

다만, 이 판결 확정일로부터 2년간 위 형의 집행을 유예한다.

피고인에게 40시간의 준법 운전 강의 수강을 명한다.

3. 음주운전 전과 2회: 징역 1년, 집행유예 2년

가. 사건번호

부산지방법원 동부지원 2021. 12. 23. 선고 2021고단1884 판결 [도로교통법위반(음주운전)]

나. 변호인

법무법인 프런티어

담당변호사 신정우

다. 범죄사실

피고인은 2021. 9. 9. 23:28경 부산 중구 B 호텔 부근 도로에서부터 부산 남구 C 아파트 지하 주차장까지 약 8km 구간에서 혈중알코올농도 0.143%의 술에 취한 상태로 (차량번호 1 생략) 그랜저 승용차를 운전하였다.

라. 양형 이유

아래와 같은 여러 양형 조건과 피고인의 연령, 성행, 환경, 이 사건 범행의 동기 및 경위, 수단과 결과, 범행 후의 정황 등 이 사건 기록과 공판 과정에 나타난 모든 양형 요소들을 종합적으로 고려하여 주문과 같이 형을 정한다.

○ 유리한 양형 조건: 이 사건 범행을 인정하고 반성하는 모습을 보이고 있는 점, 이 사건 이전에 벌금형을 초과하는 형사처벌을 받은 전력이 없는 점

○ 불리한 양형 조건: 음주운전으로 2회 벌금형의 형사처벌을 받은 전력이 있는 점, 이 사건 당시 피고인의 혈중알코올농도가 매우 높고, 음주상태에서 운전한 거리가 짧지 않은 점

마. 판결 주문

피고인을 징역 1년에 처한다.

다만, 이 판결 확정일로부터 2년간 위 형의 집행을 유예한다.

피고인에게 40시간의 준법 운전 강의 수강을 명한다.

4. 음주운전(전과 x) + 교통사고로 인한 인사사고 발생: 벌금 800만 원

가. 사건번호

부산지방법원 2021. 11. 23. 선고 2023고단2777 판결 [교통사고처리특례법위반(치상), 도로교통법위반(음주운전)]

나. 변호인

법무법인 프런티어

담당변호사 이상현, 신정우, 문희웅

다. 범죄사실

피고인은 말리 승용차의 운전 업무에 종사하는 사람이다. 피고인은 2023. 6. 11.경 혈중알코올농도 0.155%의 술에 취한 상태에서 위 승용차를 운전하여 (생략) 업무상 과실로 피고인 진행 방향의 전방에서 신호대기를 위하여 정차 중이던 피해자 택시의 뒷부분을 피고인 운전 차량의 앞 범퍼 부분으로 충격하였다. 결국, 피고인은 위와 같은 업무상 과실로 피해자에게 약 2주간의 치료가 필요한 요추부 염좌 등의 상해를, 택시 승객인 피해자에게 약 2주간 치료가 필요한 경추의 염좌 및 긴장 등의 상해를 각각 입게 하였다.

라. 양형 이유

자신의 잘못을 인정하는 점, 피해자들과 합의하여 피해자들이 피고인에 대한 처벌을 원하지 않는다는 의사를 밝힌 점, 이 사건 이전에 처벌받은 전력이 없는 점, 혈중알코올농도의 수치, 운전한 거리 등을 참작하여 주문과 같이 형을 정한다.

마. 판결 주문

피고인을 벌금 800만 원에 처한다.

피고인이 위 벌금을 납입하지 않는 경우 10만 원을 1일로 환산한 기간 피고인을 노역장에 유치한다.

5. 음주운전(전과 2회) + 교통사고로 인한 인사사고 발생: 징역 1년 2개월, 집행유예 2년

가. 사건번호

부산지방법원 서부지원 2022. 11. 17. 선고 2022고단1588 판결 [교통사고처리특례법위반(치상)·도로교통법위반(음주운전)]

나. 변호인

법무법인 프런티어

담당변호사 신정우

다. 범죄사실

1. 도로교통법위반(음주운전)

피고인은 2022. 5. 31. 12:30경 부산 북구에 있는 B 부근 도로부터 같은 구에 있는 부산북부경찰서 C 지구대 앞까지 약 500m 구간 혈중알코올농도 0.130%의 술에 취한 상태로 이 사건 승용차를 운전하였다.

2. 교통사고처리특례법위반(치상)

피고인은 제1항 기재 일시 무렵 제1항 기재 지구대 앞 편도 2차로 중 1차로에서 이 사건 승용차를 운전하여 B 방면에서 D 방면으로 직진하게 되었다. 그곳은 중앙선이 설치된 곳이었다. 그러므로 자동차의 운전자에게는 전방 및 좌우를 잘 살피고 차선을 잘 지켜 중앙선을 침범하지 않으며 자동차의 조향 및 제동장치를 정확히 조작하는 등 안전하게 운전하여 사고를 미리 방지하여야 할 업무상 주의의무가 있었다.

그럼에도 피고인은 이를 게을리한 채 혈중알코올농도 0.130%의 술에 취한 상태로 중앙선을 침범한 과실로, 마침 피고인 진행 방향의 맞은편 도로 1차로에서 직진 중이던 피해자 E 운전의 (차량번호 2 생략) 쏘나타 택시의 왼쪽 측면을 피고인 운전의 이 사건 승용차의 왼쪽 부분으로 들이받았다. 위 택시는 그 충격으로 위 맞은편 도로 2차로에 정차 중이던 F 운전의 (차량번호 3 생략) G 시내버스를 충격하였다. 그 결과 피해자 E는 약 2주간 치료가 필요한 경추의 염좌 및 긴장 등의 상해를, 위 택시에 탑승하고 있던 H는 약 2주간 치료가 필요한 좌측 광대뼈 주위 타박상 등을 입었다. 이로써 피고인은 위와 같은 업무상의 과실에 따른 교통사고로 인하여 피해자 E, H를 각각 상해에 이르게 하였다.

라. 양형 이유

운전 경위, 혈중알코올농도 수치(0.130%), 운전 거리(500m), 교통사고 정도, 피해자들 모두와 합의된 점, 가족관계, 피고인의 나이, 경력 등도 참작한다

마. 판결 주문

피고인을 징역 1년 2개월에 처한다.

다만, 이 판결 확정일부터 2년간 위 형의 집행을 유예한다.

피고인에게 80시간의 사회봉사 및 40시간의 준법 운전 강의 수강을 명한다.

6. 음주운전 전과 3회, 집행유예 기간 중 음주운전: 실형 1년 2월

가. 사건번호

부산지방법원 서부지원 2022. 7. 6. 선고 2021고단2459 판결 [도로교통법위반(음주운전)]

나. 변호인

법무법인 프런티어

담당변호사 신정우

다. 범죄사실

피고인은 2021. 9. 3. 21:55경 창원시 진해구 용원동 인근 도로에서부터 부산 강서구 B에 있는 'C' 인근 도로에 이르기까지 약 5km 구간에서 혈중알코올농도 0.159%의 술에 취한 상태로 (차량번호 1 생략) 승용차를 운전하였다.

라. 양형 이유

아래 각 정상 및 피고인의 나이, 성행, 환경, 범행의 동기, 수단과 결과, 범행 후의 정황 등 이 사건 기록과 변론에 나타난 양형 조건을 종합하여 주문과 같이 형을 정한다.

○ 불리한 정상

- 혈중알코올농도의 수치가 높다.

- 음주운전으로 처벌받은 전력이 3회(2015년 1회, 2019년 2회) 있고, 특히 이 사건 범행은 동종 범행으로 인한 유죄 판결(징역 1년 2월, 집행유예 3년, 위 사건 범죄사실에 의할 때 혈중알코올농도는 0.136%였다)의 집행유예 기간 중에 저지른 것이다.

○ 유리한 정상

- 범행을 인정하고, 반성하는 태도를 보이고 있다.

- 최근 결혼하여 가정을 이루었다.

마. 판결 주문

피고인을 징역 1년 2월에 처한다.

7. 음주운전(전과 2회) + 교통사고로 인한 인사사고 발생 + 혈중알코올농도 0.235% 만취 상태로 운전하여 특정범죄가중처벌등에관한법률위반(위험운전치상)죄 적용: 징역 1년 6월, 집행유예 3년

가. 사건번호

부산지방법원 서부지원 2023. 5. 23. 선고 2022고단2608 판결 [특정범죄가중처벌등에관한법률위반(위험운전치상)·도로교통법위반(음주운전)]

나. 변호인

법무법인 프런티어

담당변호사 신정우

다. 범죄사실

1. 도로교통법위반(음주운전)

피고인은 2022. 10. 22. 09:15경 부산 사상구 B에 있는 C

주차장 내 약 15m의 구간에서 혈중알코올농도 0.235%의 술에 취한 상태로 (차량번호 1 생략) 포터 화물차를 운전하였다.

2. 특정범죄가중처벌등에관한법률위반(위험운전치상)

피고인은 위 화물차를 운전하는 업무에 종사하는 사람이다. 피고인은 2022. 10. 22. 09:15경 혈중알코올농도 0.235%의 술에 취한 상태로 부산 사상구 B에 있는 C 주차장 내에서 위 화물차량을 이동 주차하기 위해 후진하게 되었다. 이러한 경우 자동차의 운전 업무에 종사하는 사람에게는 술에 취한 상태에서 운전을 하여서는 안 되며, 전, 후방 교통상황을 잘 보고 조향 및 제동장치 등을 정확히 조작하는 등 안전하게 운전하여 사고를 미리 방지하여야 할 업무상의 주의의무가 있었다.

그럼에도 피고인은 술에 취하여 심하게 비틀거리는 등 정상적인 운전이 곤란한 상태에서 이를 게을리한 채 후진한 업무상 과실로 뒤쪽 주차선에 주차된 (차량번호 2 생략) K3

승용차의 앞 범퍼 부분을 충돌하여 위 K3 승용차 운전석에 앉아있던 피해자 D(여, 37세)와 조수석에 앉아있던 피해자 E(여, 67세)에게 각 약 2주간의 치료가 필요한 '요추의 염좌 및 긴장' 등의 상해를 입게 하였다.

라. 양형 이유

음주운전 거리, 주취 정도 및 동종 전력의 내용 및 시기(1999년 벌금 70만 원, 2001년 벌금 150만 원), 주차장에서 일어난 사고인 점, 피고인이 피해자들과 합의한 점 등 그 밖에 피고인의 나이, 성행, 환경, 범행의 동기와 경위, 범행의 수단과 결과, 범행 후의 정황 등 기록 및 변론에 나타난 여러 양형 요소를 종합적으로 고려하여 주문과 같이 형을 정한다.

마. 판결 주문

피고인을 징역 1년 6개월에 처한다.

다만, 이 판결 확정일로부터 3년간 위 형의 집행을 유예한다.

8. 음주운전(전과 1회) + 음주 측정거부: 징역 1년 2월, 집행유예 2년

가. 사건번호

청주지방법원 충주지원 2023. 7. 11. 선고 2023고단114 판결 [도로교통법위반(음주 측정거부)]

나. 변호인

법무법인 프런티어

담당변호사 문희웅

다. 범죄사실

피고인은 2023. 1. 21. 00:28경 충북 음성군 B 앞길에서부터 C 앞길까지 약 10m 구간에서 술에 취한 상태로 (차량번호 1 생략) BMW 승용차를 운전하던 중, 음주운전 의심차량이 있다는 112 신고를 받고 출동한 충청북도경찰청 음성경찰서 D 파출소 소속 경장 E로부터, 피고인에게서 술냄새가 나고 얼굴이 붉어 피고인이 술에 취한 상태로 운전하였다고 의심할 만한 상당한 이유가 있어 같은 날 00:33경부터 00:52경까지 약 20분 동안 4회에 걸쳐 음주 측정기에 입김을 불어넣는 방법으로 음주 측정에 응할 것을 요구받았다.

그럼에도 불구하고 피고인은 음주 측정기에 호흡을 불어넣기를 거부하는 방법으로 위 음주 측정 요구를 회피하여 정당한 사유 없이 경찰공무원의 음주 측정 요구에 응하지 아니하였다.

라. 양형 이유

○ 불리한 사정: 피고인이 술을 마신 상태에서 차량을 운전하고, 경찰관의 정당한 음주 측정 요구에 불응하였는 바, 그 죄책이 가볍지 않은 점, 피고인에게 동종 범행으로 처벌받은 전력이 있는 점

○ 유리한 사정: 피고인이 이 사건 범행을 뉘우치고 반성하고 있는 점, 음주운전한 거리가 비교적 짧고, 인적·물적 피해 발생하지 아니한 점, 벌금형을 초과하는 범죄 전력은 없는 점

○ 그 밖에 피고인의 나이, 성행, 환경, 범행의 동기, 수단과 결과, 범행 후의 정황 등 이 사건 변론에 나타난 여러 양형 요소들을 종합적으로 고려하여 주문과 같이 형을 정한다.

마. 판결 주문

피고인을 징역 1년 2월에 처한다.

다만, 이 판결 확정일부터 2년간 위 형의 집행을 유예한다.

피고인에게 40시간의 준법 운전 강의 수강을 명한다.

9. 음주운전(전과 3회) + 교통사고로 인한 인사사고 발생: 징역 8개월, 집행유예 2년

가. 사건번호

부산지방법원 동부지원 2023. 6. 28. 선고 2023고단809 판결 [교통사고처리특례법위반(치상)·도로교통법위반(음주운전)]

나. 변호인

법무법인 프런티어

담당변호사 신정우

다. 범죄사실

1. 교통사고처리특례법위반(치상)

피고인은 (차량번호 1 생략) 쏘나타 차량을 운전하는 업무에 종사하는 사람이다. 피고인은 2023. 3. 12. 03:26경 혈중알코올농도 0.142%의 술에 취한 상태로 (차량번호 1 생략)

쏘나타 차량을 운전하여 부산 수영구 B에 있는 C 은행 망미동지점 앞 도로를 토곡사거리 쪽에서 망미교차로 방면으로 진행하게 되었다.

이러한 경우 자동차의 운전 업무에 종사하는 사람에게는 그 차의 조향 및 제동장치, 그 밖의 장치를 정확히 조작하여야 하고, 도로의 교통상황과 그 차의 구조 및 성능에 따라 다른 사람에게 위험과 장해를 주는 속도나 방법으로 운전하여서는 아니 되며, 전방 교통상황을 잘 보고 안전하게 운전하여 사고를 미리 방지하여야 할 업무상 주의의무가 있었다.

그럼에도 불구하고 피고인은 이를 게을리한 채 전방에서 신호 대기 후 출발하려던 피해자 D 운전의 (차량번호 2 생략) 쏘나타 택시 차량을 피의자의 차량 앞 범퍼 부분으로 충격하여 업무상 과실로 피해자에게 약 2주의 치료를 요하는 열린 두개 내 상처가 없는 진탕 등의 상해를 입게 하였다.

2. 도로교통법위반(음주운전)

피고인은 2023. 3. 12. 03:26경 부산 연제구 E에 있는 F 앞 도로에서부터 수영구 B에 있는 C 은행 망미동지점 앞 도로까지 약 500m 구간에서 혈중알코올농도 0.142%의 술에 취한 상태에서 (차량번호 1 생략) 쏘나타 차량을 운전하였다.

라. 양형 이유

<u>음주운전으로 3회 벌금형을 처벌받은 전력 있고(2001년 벌금 70만 원, 2004년 벌금 150만 원, 2017년 벌금 150만 원), 음주 수치가 상당히 높고 사람이 다치는 사고까지 내어 죄책이 가볍지 않다.</u>

다만, 피고인이 범행을 인정하는 점, 2017년 이후 처벌 전력 없는 점, 피해자의 부상 경미하고 피해자와 합의한 점, 차량을 매도하고 더 이상 운전하지 않을 것을 다짐하는 점, 금주 치료를 받고 음주운전 재범 방지 교육을 받은 점 등 사정을 종합적으로 고려하여 주문과 같이 형을 정한다.

마. 판결 주문

피고인을 징역 8개월에 처한다.

다만, 이 판결 확정일부터 2년간 형의 집행을 유예한다.

피고인에게 40시간의 준법 운전 강의 수강을 명한다.

10. 음주운전(전과 2회) + 음주운전으로 재판 대기 중 추가 음주운전으로 총 4회 음주운전: 징역 1개월, 집행유예 2년

가. 사건번호

부산지방법원 동부지원 2023. 11. 15. 선고 2023고단1814 판결 [도로교통법위반(음주운전)]

나. 변호인

법무법인 프런티어

담당변호사 신정우

다. 범죄사실

피고인은 2023. 6. 22. 23:50경 부산 기장군 B 아파트 앞 도로부터 C 앞 도로까지 약 700m 구간에서 혈중알코올농도 0.076%의 술에 취한 상태로 (차량번호 1 생략) 벤츠 E200 승용차를 운전하고, 2023. 7. 26. 01:51경 부산 기장군 D에 있는 E 매장 기장점 앞 도로부터 F에 있는 G 편의점 앞 도로까지 약 800m 구간에서 혈중알코올농도 0.150%의 술에 취한 상태로 위 승용차를 운전하였다. 이로써 피고인은 도로교통법 제44조 제1항을 위반하여 벌금 이상의 형을 선고받고 그 형이 확정된 날부터 10년 이내에 다시 같은 조 제1항을 위반하였다.

라. 양형 이유

동종 벌금형 전력 2회(2009년 벌금 500만 원, 2013년 벌금 300만 원) 있음에도, 불과한 달 사이에 2회에 걸쳐 음주운전을 하였으며, 음주 수치도 상당히 높아 죄책이 가볍지 않다.

다만, 범행을 인정하는 점, 가족과 지인들이 피고인의 성행개선을 전제로 선처를 호소하고 있고, 사회적 유대관계 분명하며, 재범 방지를 다짐하면서 알코올 치료, 음주운전 교육 이수 등 노력을 기울이는 것으로 보이는 점 및 그 밖에 기록과 변론 과정에서 나타난 제반 사정을 종합적으로 고려하여 주문과 같이 형을 정한다.

마. 판결 주문

피고인을 징역 1년에 처한다.

다만, 이 판결 확정일부터 2년간 형의 집행을 유예한다.

피고인에게 40시간의 준법 운전 강의 수강을 명한다.

Ⅳ. 양형 자료

1. 자필 반성문

자필 반성문은 가장 기본적인 양형 자료면서도 가장 중요한 양형 자료입니다. 반성문은 자필로 작성하는 것이 원칙입니다. 종종 워드로 작성하고 서명하거나 지장만 찍으면 되지 않느냐고 문의하시는 분들이 있습니다. 판사님의 입장에서 생각했을 때, 자필로 정성 들여 쓴 반성문을 읽을 때 선처해 주고 싶은 마음이 들지, 아니면 실제로 본인이 작성한 것인지도 분명하지 않은 워드로 작성된 문서를 읽을 때 선처해 주고 싶은 마음이 들지 생각해 본다면 답은 분명할 것입니다. 자필로 써야 합니다.

반성문을 쓸 때는 변명으로 비칠 수 있는 내용은 쓰지 않는 것이 좋습니다. 가령, 운전한 거리가 얼마 안 되는 지점에서 단속된 사람이 운전 거리가 짧다는 것을 강조하기 위해서 “가까운 거리라 큰 문제가 없을 것으로 생각했다”라고 말했다고 합시다. 그렇다면 판사님의 입장에서는 이 사람은 앞으로도 가까운 거리인 경우는 음주운전을 할 수도 있다고 생각할 수 있습니다.

반성문에서는 변명은 피하고, 담백하게 자신의 잘못을 인정하고 용서를 구하는 내용으로 작성하는 것이 좋습니다. 반성문의 핵심 키워드로서 첫째, 자신의 잘못을 전부 인정하고 반성한다는 내용 둘째, 피해자가 있다면 사과한다는 내용 셋째, 앞으로 절대 음주운전을 다시 하지 않겠다는 내용이 포함되어야 합니다. 아래에서 반성문의 예시를 보여드리니 참고하시어 본인의 사정에 맞게 수정하여 작성하면 될 것입니다.

반성문

사　　건　　　음주운전

피 고 인　　　홍길동

존경하는 판사님께,

존경하는 판사님. 저는 이번 음주운전 사건의 피고인 홍길동입니다.

우선 잘못된 행위로 사회에 물의를 일으켜 진심으로 송구합니다. 무엇보다도 피해자분께 너무나 죄송하고 송구한 마음입니다. 술에 취하여 순간적으로 올바른 판단을 하지 못하고, 잘못된 행위를 하여 범죄에 이르게 된 자신이 너무나 한심하고 후회됩니다. 시간을 돌이킬 수만 있다면 그날로 돌아가 잘못된 행동을 생각하는 저를 혼내고, 단호하게 말리고 싶을 따름입니다.

저는 이번 일을 계기로 저의 잘못을 깨닫고 마음속 깊이 뉘우치고 반성하고 있습니다. 술을 마시고 운전하는 것이 얼마나 나쁜 일인지 잘 알면서도 잘못된 행동을 한 것을 너무나 후회하고 있습니다. 앞으로 다시는 같은 잘못을 반복하지 않을 것입니다. 지금 하는 일을 열심히 하고, 다시는 법의 심판을 받을 일을 하지 않겠습니다.

부디 이번 한 번만 선처해 주신다면 앞으로 우리 사회에 보탬이 되는 시민으로 성실하게 살아가겠습니다. 피해자 분께 엎드려 사과드립니다.

부디 선처 부탁드립니다. 감사합니다.

2024. 8. .

작성자 홍 길 동 (서 명)

2. 탄원서

탄원서 작성에 특별한 양식이 있는 것은 아닙니다. 탄원서 역시 반성문과 마찬가지로 작성하는 사람의 진심을 담아 자필로 작성하는 것이 좋습니다. 정성스러운 자필 탄원서가 인쇄된 탄원서에 서명만 되어 있는 탄원서보다 더 효과적인 것은 상식적으로 생각해 보아도 당연합니다. 다만, 탄원서 제출 시간이 임박한 경우 또는 자필 탄원서를 부탁하기 어려운 지인에게는 인쇄된 탄원서에 자필 서명이나 도장, 지장을 받아 제출할 수도 있습니다. 그러나 이때에도 내용은 모두 같고 서명만 다른 탄원서를 기계적으로 다수 생산하여 제출하는 방법은 피하고, 탄원인 별로 조금이라도 다른 내용으로 탄원서를 작성하여 제출하는 것이 좋을 것입니다.

탄원서는 탄원인이 실제로 작성한 것인지 확인하는 의미로 신분증 사본을 첨부하는 것이 좋습니다. 이러한 신분증 사본이나 인감증명서가 없다면, 탄원서가 위조된 것인지 확인할 방법이 없기 때문입니다. 탄원서 양식을 아래 첨부하니, 이를 참고하여 탄원서를 작성하면 될 것입니다.

탄원서

사　　건　　　음주운전

피 고 인　　　홍길동

존경하는 판사님께,

존경하는 판사님. 저는 이번 음주운전 사건 피고인 홍길동의 친구 안정환입니다. 제가 아는 저의 친구 홍길동은 평소 주변 사람들에게 친절하고 의리가 있는 좋은 사람입니다. 저와 알고 지낸 지도 10년이 넘는데, 그동안 저와 좋은 관계를 유지하였고, 다른 사람과도 다투는 모습을 한 번도 본 적이 없는 착한 사람입니다.

그런데 이번에 음주운전 범죄에 연루되었다는 소식을 접하게 되어 솔직히 많이 놀랐습니다. 저도 친구에게 음주운전은 변명의 여지가 없는 명백한 범죄행위라며 강하게 질책하였습니다. 하지만 이번 일을 계기로 홍길동이 깊이

상심하고 많이 뉘우치는 모습을 옆에서 지켜보고 마음이 아프기도 하였습니다.

음주운전이 사회에 큰 해악을 끼치는 나쁜 일인 줄 잘 압니다. 하지만 비록 죄는 미워하나 사람은 미워하지 말라고 배웠습니다. 이번 일을 계기로 홍길동이 많이 반성하고, 다시는 잘못을 저지르지 않을 것이라고 다짐하고 있으며, 저도 친구가 이러한 마음을 지켜나갈 수 있도록 옆에서 많이 돕겠습니다.

부디 이번 한 번만 선처 부탁드립니다. 감사합니다.

*첨부서류: 신분증 사본

2024. 12.   .

작성자 안 정 환 (서 명)

3. 피해자 합의서

합의서는 음주운전으로 교통사고가 발생하였을 때 작성합니다. 교통사고가 발생하면 가해자는 피해자에게 자동차 수리비, 병원 치료비 등 민사 손해배상액을 지급하여야 하고, 형사재판에서 가벼운 판결을 받기 위해서는 민사 손해배상액과는 별도로 형사 합의금을 지급하고 합의해야 합니다. 사건 의뢰인들이 가장 궁금해하는 것이 합의 금액이 얼마인가 하는 것입니다. 안타깝게도 정해진 합의금은 없습니다. 사람에 따라, 상황에 따라 합의 금액은 천차만별입니다. 상대방이 너무 과도한 합의금을 요구할 경우, 무거운 처벌을 감수하고서라도 합의금을 지급하지 않을 수도 있습니다(다만, 이때 어느 정도 성의 있는 금액을 마련하여 형사공탁한다면, 법원에서 유리한 사정으로 고려될 수 있습니다).

음주운전으로 인한 교통사고가 발생한 때 작성하는 합의서에는 다른 형사사건의 합의서와 달리 '채권양도'라는 항목이 있습니다. 교통사고가 발생하면, 가해자가 가입한 보험회사에서 피해자에게 민사 손해배상금을 보험금으로 지급하는데, 이때 피해자가 가해자로부터 형사 합의금을 받았다는 이유로 보험사에서 일부 금액을 공제하고 보험금을 지급할 수가 있습니다. 하지만 피해자로서는 민사 손해배상금과는 별개로 형사 합의금을 받은 것이므로 민사 손해배상금으로 받는 보험금액에서 일부 금액이 공제되는 것은 부당한 것입니다. 만약, 보험사가 보험금액에서 일부 금액을 공제하여 피해자에게 지급하게 된다면 보험사는 자신이 원래 지급해야 하는 손해배상 금액에서 공제한 금액의 차이만큼 이익을 본 것이고, 이 이익은 가해자가 먼저 피해자에게 지급한 것이므로 가해자는 보험사에 그 차액에 대하여 부당이득반환을 청구할 권리가 있으며, 이를 부당이득반환청구 채권이라고 합니다. 그런데, 가해자는 원래 피해자와 합의한 형사 합의금을 피해자에게 지급한 것일 뿐이므로, 보험사에 부당이득반환청구권을 행사하여 돈을 받을 이유는 없습니다. 따라서 이러한 부당이득반환청구권을 피해자에게 양도하면, 보험사가 피해자에게 보험금액에서 공제한 금액만큼, 피해자가 보험사에 다시 부당이득반환청구권을 행사하여 돈을 돌려받을 수 있는 것입니다. 법리를 설명하다 보니 어렵고

복잡해 보이지만, 쉽게 보면 피해자 관점에서 가해자로부터 형사 합의금을 받았다 하더라도 보험사는 보험금 지급액을 감액하지 말라는 취지입니다. 합의서 양식을 아래에 기재하여 두니 참고해서 작성하시면 되겠습니다.

교통사고 합의서

1. 사고내용

사고일시		사고장소	
가해자 성명		주민등록 번호	
가해 차량번호		피해 차량번호	
피해자 1 성명		주민등록 번호	
피해자 2 성명		주민등록 번호	

2. 합의 내용

가. **(합의금)** 가해자는 피해자에게 형사 합의금으로 금 (　　　　)원을 지급한다.

나. **(처벌불원, 고소취하)** 피해자는 위 사고와 관련하여 가. 항의 합의금을 받고 가해자가 어떠한 형사처벌도 받지 않기를 원한다는 사실을 명확히 하고, 고소를 제기하였다면 고소를 취하한다.

다. **(합의금 성격)** 위 합의금은 피해자가 가해자에 대하여 가지는 민사 손해배상금 또는 보험회사에서 지급될 보험금 등 손해배상금과는 별도로 지급하는 것으로, 가해자 개인이 피해자에게 지급하는 위로금 명목의 형사 합의금이다.

라. **(채권양도)** 가해자는 위 합의금이 보험회사의 보험금 등 민사상 손해배상금에서 공제되지 않도록 하기 위하여 위 합의금 중 일부라도 민사상 손해배상금에서 공제될 경우, 공제되는 액수에 대하여 가해자가 갖게

되는 부당이득반환청구권을 피해자에게 채권양도하고, 가해자의 채권자에게 그 양도 사실을 통지한다.

마. **(권한위임)** 가해자는 라. 항의 채권양도 통지에 관한 일체의 권한과 행위를 피해자에게 위임한다.

바. **(공제금 지급)** 위와 같은 채권양도가 있었음에도 불구하고 보험회사가 보험금에서 위 합의금의 일부라도 공제할 경우, 그 액수는 가해자가 피해자에게 지급한다.

3. 가해자와 피해자는 상기 합의 내용에 대하여 면밀한 검토를 거쳤으며, 이에 관하여 일체의 이의를 제기하지 않는다.

4. 이상과 같은 합의 내용을 확인하기 위하여 합의서 3통을 작성하여 1부는 수사기관 또는 법원에 제출하고, 나머지는 피해자와 가해자가 각 1부씩 보관한다.

5. 이상의 내용이 가해자와 피해자의 자유로운 의사에 따른 것임을 확인하기 위하여 가해자와 피해자의 신분증 사본을 첨부한다.

※ 첨부서류: 1) 가해자 신분증 사본, 2) 피해자 신분증 사본

2024. 12. .

가해자		피해자	
성명	(서명)	성명	(서명)
주민등록 번호		주민등록 번호	
대리인	(서명)	대리인	(서명)

부산지방법원 귀중

4. 형사공탁서

■ 공탁법

제5조의2(형사공탁의 특례)

① 형사사건의 피고인이 법령 등에 따라 피해자의 인적사항을 알 수 없는 경우에 그 피해자를 위하여 하는 변제공탁(이하 "형사공탁"이라 한다)은 해당 형사사건이 계속 중인 법원 소재지의 공탁소에 할 수 있다.

② 형사공탁의 공탁서에는 공탁물의 수령인(이하 이 조에서 "피공탁자"라 한다)의 인적사항을 대신하여 해당 형사사건의 재판이 계속 중인 법원(이하 이 조에서 "법원"이라 한다)과 사건번호, 사건명, 조서, 진술서, 공소장 등에 기재된 피해자를 특정할 수 있는 명칭을 기재하고, 공탁원인사실을 피해 발생시점과 채무의 성질을 특정하는 방식으로 기재할 수 있다.

음주운전 교통사고 사건에서 가장 중요한 양형 자료는 합의서 또는 처벌불원탄원서입니다. 그래서 가해자는 제1심판결이 선고되기 전까지 피해자와 최대한 합의에 이를 수 있도록 최선을 다하여야 합니다. 피해자가 다소 과도한 금액을 요구하더라도 합의 여지가 있다면 가능한 합의에 이르는 것이 판결에 절대적으로 유리합니다. 다만, 어떤 피해자의 경우 합의를 완강히 거부하기도 하고, 종종 너무 과도한 금액을 요구하기도 하여 결국 합의에 이르지 못하는 경우도 발생합니다.

이럴 때 활용할 수 있는 제도가 '형사공탁' 제도입니다. 가해자가 피해자와 직접 합의에 이르지는 못하였으나, 반성하는 의미를 담아 일정 금액을 피해자가 찾아갈 수 있도록 법원에 맡기는 것이 형사공탁입니다. 음주운전 교통사고 가해자가 법원에 피해자를 위하여 돈을 맡긴다면, 재판부에서 보았을 때 피고인이 어느 정도 피해자의 피해를 보상하기 위하여 노력하고 있다는 사실을 인정할 수 있습니다. 따라서 가해자에 대한 판결을 선고할 때 양형에서 유리한 요소로 삼게 됩니다.

과거에는 형사재판에서 피해자가 동의하지 않으면 공탁을 하는 것 자체가 불가능하였습니다. 그러나 2022년 12월부터 법이 개정되어 현재는 피해자의 동의 여부와 무관하게 형사공탁이 가능해졌습니다. 따라서 가해자가 피해자와 최대한 합의를 시도하였는데도 합의에 이르지 못하였다면, 가해자는 피해자의 피해를 보상할 만한 상당한 금액을 법원에 공탁하여 감형을 노려볼 수 있습니다. 다만, 이때에도 공탁하는 돈은 어느 정도 피해 보상에 합당한 정도의 액수는 되어야 합니다. 상식적으로도 너무 적은 금액을 공탁한다면 가해자에게 피해 보상의 의지나 성의가 없는 것으로 판단되어 오히려 재판에서 불리해질 수 있으니 주의하여야 합니다. 한편, 금전 공탁서를 제출할 때는 공탁금은 피해자의 동의가 없으면 무죄판결을 받지 않는 이상 다시 찾아가지 않겠다는 '회수제한신고'에 동의하여 제출하므로, 공탁금은 다시 찾아갈 수 없다는 사실을 명심해야 합니다.

5. 기타 양형 자료

가. 자동차양도증명서

자동차양도증명서는 음주운전을 한 운전자가 다시는 자동차를 운전하지 않겠다는 다짐을 뒷받침하기 위하여 제출하는 양형 자료입니다. 음주운전은 술을 마시고 운전을 하는 행위로, 술을 마시는 행위 즉 '음주'가 문제가 되는데 음주 습관을 개선하기는 쉽지 않습니다. 그래서 음주 습관의 개선 여부와 상관없이 음주운전을 방지하는 최고의 방법은 처음부터 '운전'을 하지 않는 것입니다. 이처럼 '운전' 자체를 하지 않겠다고 다짐하면서 자동차양도증명서를 양형 자료로 제출할 수 있습니다.

나. 음주운전 재범 예방 교육 수료증

음주운전은 재범률이 매우 높은 범죄입니다. 2023년 5월 2일 조선비즈 기사에 의하면 음주운전 사고로 인한 사망자가 연평균 251명 발생하고 음주운전 재범률은 무려 45%에 달합니다. 따라서 판사님이 보았을 때 음주운전으로 재판을 받는 사람은 또다시 음주운전을 할 가능성이 매우 크다고 판단할 수 있고 따라서 무거운 처벌로써 다시는 음주운전을 하지 못하게 해야 한다고 생각하실 수 있습니다. 따라서 음주운전을 한 사람은 이러한 판사님의 의심을 조금이라도 줄이기 위하여 음주운전 재범 예방 교육을 수료하고 그 수료증을 양형 자료로 제출하는 것이 좋습니다.

음주운전 재범 예방 교육은 국가기관에서 실시하는 것은 아닙니다. 우리가 흔히 사용하는 네이버나 구글에 '음주운전 재범 예방 교육'이라는 키워드로 검색하면, 교육을 제공하고, 교육을 수료한 이후에 수료증이나 이수증을 발급해 주는 기관 사이트들이 많이 검색됩니다. 이러한 사이트 중 비용이 과도하게 비싸지 않고 적절한 수료증이나 이수증을 발급해 주는 기관을 선정하시어 교육을 이수하고 수료증을 발급받아 법원에 제출하시면 됩니다.

다. 알코올 중독 치료

음주 운전자의 가장 큰 문제는 '음주' 습관 그 자체에 있습니다. 술을 마시지 않으면 음주운전 자체가 성립되지 않습니다. 음주운전을 하는 사람 중 많은 사람이 적어도 가벼운 수준의 알코올의존증을 겪고 있습니다. 이러한 알코올의존증을 적절하게 치료하는 것만으로도 음주로 인한 각종 사건, 사고를 방지할 수 있고, 음주운전 역시 방지할 수 있습니다. 이런 이유로 음주 습관 개선에 대한 의지를 법원에 밝히면서 알코올의존증을 치료받은 진단서, 진료확인서 등을 법원에 제출한다면 판결에 유리한 양형 자료가 될 것입니다. 네이버나 구글 등 인터넷 포털에 '알코올의존증 치료'라고 검색하시면 관련 병원, 의원, 한의원 등이 검색될 것입니다. 이러한 병원에 방문하시어 치료를 받고 진단서나 진료확인서를 법원에 제출하시면 됩니다.

라. 진단서

진단서는 음주운전을 한 본인이 건강 상태가 좋지 못하여, 사회에서 적절한 치료를 받을 수 있도록 구속을 면하게 해달라는 취지로 제출하는 양형 자료입니다. 본인이 아픈 것과 음주운전으로 처벌받는 것은 엄밀히 말하면 별개의 일입니다. 하지만, 건강 상태가 매우 나쁜 사람이 구치소나 교도소에 복역하여 적절한 치료를 받지 못한다면, 생명에 지장이 있을 수 있습니다. 따라서 본인의 건강 상태가 매우 나쁜 분이라면 다른 양형 자료와 함께 진단서도 제출하여 구속만은 면할 수 있게 해달라며 판사님께 선처를 호소해 볼 수 있을 것입니다.

마. 장기기증희망등록증

음주운전을 한 사람이 판사님께 선처를 구하기 위해서 무엇인가 사회에 기여할 만한 자료를 제출하는 것이 좋습니다. 하지만 보통 일반인이 평소에 사회봉사를 하는 경우는 많이 없습니다. 이때 제출할 만한 자료가 바로 '장기기증희망등록증'입니다. 장기기증을 희망한다는 것은 분명 본인과 가족의 선택에 달린 문제이긴 합니다. 하지만, 요즘은 장기기증에 대한 좋은 인식이 사회에 널리 퍼져 장기기증에 대하여 거부감이 많이 없어져 장기기증을 희망하시는 분들이 많습니다. 음주운전으로 중한 처벌이 예상됨에도 제출할 만한 양형 자료가 없다면 장기기증희망등록증도 좋은 양형 자료가 될 수 있습니다. 실제로 장기기증이 실현되면 많은 사람의 목숨을 살리는 숭고한 일이 되기 때문입니다.

장기기증은 '보건복지부 국립장기조직혈액관리원'에서 관리하고 있습니다. 따라서 네이버나 구글 등 인터넷 포털에 '보건복지부 국립장기조직혈액관리원'을 검색하셔서 사이트에 접속한 이후'기증희망등록'항목을 선택하여 절차를 진행하시면 됩니다. 간혹 재판이나 판결 일자가 다가와 급하게 양형 자료를 제출하여야 하는데 등록증을 발급받기에는 시간이 부족하신 분이 있습니다. 이런 분들은 포기하지 마시고, 장기기증희망등록 신청서라도 캡처해서 제출하시기를 권해드립니다.

바. 헌혈증서

헌혈증서도 위 장기기증희망등록증과 마찬가지로 마땅히 제출할 만한 양형 자료가 없을 때 급하게 준비하여 제출할 수 있는 양형 자료입니다. 국가적으로 혈액은 늘 부족하므로 헌혈을 하고 그 증서를 기증한다면 사회에 도움이 될 것입니다. 이처럼 사회에 도움이 되고자 하는 의지와 행동을 헌혈증서로 뒷받침한다면 판결에 조금이라도 좋은 영향을 미칠 것입니다. 만약, 음주운전을 한 사람이 건강상 문제로 헌혈을 하기 힘들다면, 가족이나 친구, 지인의 도움을 받아 이들의 헌혈증서를 제출하는 것도 가능합니다. 주변인들이 피고인을 도와주고 있다는 사실 자체도 유리한 양형 자료가 될 것입니다.

사. 사회 봉사활동

사회 봉사활동을 오랜 기간 해온 이력이 있다면 좋은 양형 자료가 됩니다. 양로원, 고아원, 요양원, 종교시설, 동호회

봉사활동 등 어느 곳이라도 상관없습니다. 자신이 봉사활동을 한 기관에서 봉사활동의 내용, 봉사활동 시간 등이 기재된 '봉사활동 확인서'를 발급받아 법원에 제출하면 됩니다. 또한, 음주운전 사건이 발생한 초기라면, 지금부터 봉사활동을 시작하는 것도 좋습니다. 음주운전 사건의 경우 사건 발생일로부터 판결선고일까지 길게는 6개월 이상 걸리는 경우도 많습니다. 따라서 사건 발생 직후라면 빠르게 봉사활동을 시작해서 양형 자료를 만들어 두는 것도 재판에 임하는 좋은 전략이 될 것입니다.

아. 음주운전 근절 캠페인

음주운전 근절 캠페인은 사람들이 많이 다니는 지하철역, 기차역, 공원 등에서 음주운전을 근절하자는 취지의 피켓이나 현수막을 들고 서 있거나, 유인물을 나누어 주는 행위입니다. 음주운전 근절 캠페인을 할 때, 그 모습을 주변 사람이 사진을 찍어 양형 자료로 제출하는 것입니다. 음주운전 근절 캠페인은 그 자체로 스스로 음주운전 근절에 대한 강

력한 의지를 표현하는 것입니다. 사람들이 많이 다니는 공공장소에서 캠페인을 진행하고 그 모습을 촬영한 사진을 제출하는 것으로 시각적으로도 효과가 있습니다. 네이버나 구글에 '음주운전 근절 캠페인'이라고 검색하면, 관련 도구를 제공하는 사이트가 많이 검색됩니다. 이러한 사이트 중 한 곳을 선택하여 도구를 지원받고 캠페인을 진행하시면 됩니다.

자. 경제적 어려움(부채증명원)

법원에 제출할 만한 양형 자료가 부족할 때, 부채증명원을 양형 자료로 제출하기도 합니다. 스스로 채무가 많음을 재판부에 설명하여, 음주운전으로 실형을 선고받고 구속되면 채무를 갚을 방법이 없어진다는 점을 호소하여 선처를 구하는 것입니다. 또는, 경제적으로 너무 어려워 고통을 잠시나마 위로하기 위하여 술을 마셨다가 잘못된 판단을 하게 되었다는 변명의 자료로 쓰이기도 합니다. 부채증명원은 필수적이거나 효과가 큰 양형 자료는 아니지만, 현재 어려운 사정을 설명하기 위한 자료로서 양형 자료로 활용 가능합니다.

차. 가족 부양의 필요성(기초생활수급자 증명서, 장애인증명서, 진단서 등)

본인이 가족을 부양해야 하고 본인이 구속되어 수입을 얻지 못하면 가족의 생계가 막막해진다는 변명은 가장 흔한 유형입니다. 이때 함께 제출하는 것이 본인 또는 부양가족의 기초생활수급자 증명서, 장애인증명서, 질병 진단서 등입니다. 음주운전을 한 자신이 처벌받는 것은 상관없으나, 자신이 구속된다면 가족의 생계가 막막해지므로 오히려 가족들을 처벌하는 것과 같으니 선처해 달라며 재판부에 호소하고, 위와 같은 자료를 양형 자료로 제출할 수 있습니다.

■ 글을 마치며

■ 글을 마치며

저 자신의 부족함에도 불구하고 각자 삶의 무게를 지닌 의뢰인들을 떠올리며 이 책의 집필을 시작하게 되었습니다.

민사사건이든 형사사건이든 평범한 우리 사회 구성원들은 변호사를 접하지 않고 살다가 평생에 한 번 변호사에게 사건을 털어놓고, 그 와중에 저는 의뢰인들의 삶에 발을 들여놓게 됩니다.

위와 같은 의뢰인들의 삶의 무게를 함께 어깨에 짊어지고 가야 하기에 쉬는 주말에도 사건 내용을 복기하는 삶을 반복하다가 그보다 더 많은 분께 도움을 드릴 방법이 없을까 고민하였습니다. 그 고민 끝에 이 책을 집필하게 되었고, 신정우 변호사님께서 손길을 내밀어 주셔서 이 책을 출간할 수 있게 되었습니다.

이 책은 음주운전 사건에 연루되신 분들께서 처음 접하는 절차와 용어에 대하여 설명해 드리고자 노력하였습니다. 많이 부족하지만, 독자 여러분께 이 책이 사건을 헤쳐 나가는 데 작은 도움이나마 되었으면 좋겠습니다. 감사합니다.

2024년 초봄

부산 사무실에서

변호사 문 을 씀

이 책을 집필하기 시작하며, 그동안 수행했던 사건들이 자연스레 떠올랐습니다. 저 자신이 부족함에도 저를 믿고 사건을 맡겨주신 의뢰인들을 생각하면 사건마다 무거운 책임감을 느끼고 노력해 왔던 것 같습니다.

제가 변호사 생활을 하며 가장 많이 접하게 된 사건이 음주운전, 교통사고 사건이었고, 결국 대한변협 교통사고 전문변호사가 되었습니다. 그동안 저를 찾아주신 의뢰인들의 말씀을 듣고, 맡겨주신 사건을 수행하며 최대한 도움이 되고자 노력하였으나, 그보다 더 많은 분께 도움을 드릴 방법이 없을까 고민하였습니다. 그 고민 끝에 이 책을 집필하게 되었습니다.

이 책을 통하여 음주운전, 교통사고 사건에 연루되신 분들께서 처음 접하는 절차와 용어에 대하여 설명해 드리고 더 나아가 최소한의 대응법을 알려드리기 위하여 노력하였습니다. 많이 부족하지만, 독자 여러분께 이 책이 음주운전, 교통사고 사건을 헤쳐 나가는 데 조금이라도 도움이 되었으면 좋겠습니다. 감사합니다.

2024년 초봄

대한변호사협회 등록 형사법 전문변호사

대한변호사협회 등록 교통사고 전문변호사

변호사 문희웅